JN112735

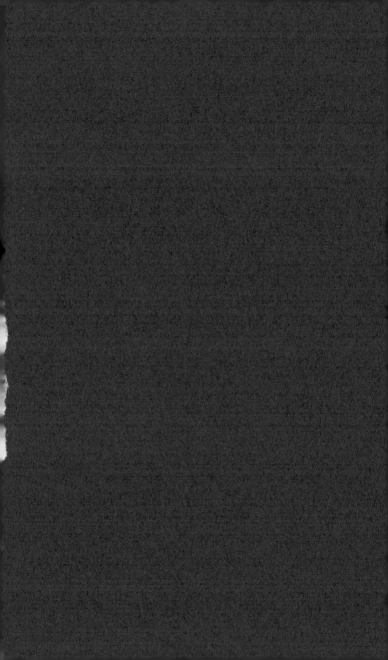

暗い世界

ウェールズ短編集

Cyfnewidfa Lên Cymru
Wales Literature Exchange

Published with the support of a Wales Literature Exchange translation award through Arts Council of Wales National Lottery Funding.

はじめに

ウェールズ英語文学の世界

ウェールズ文学、と言われて何を想像されるでしょうか。日本のほとんどの一般的な読者は、ウェールズ文学の作家名・作品名を挙げるのは難しいかもしれません。少し文学に詳しい人ならば、詩人ディラン・トマス（一九一四―五三年）の名を、またひょっとすると大江健三郎が『宙返り』で依拠したR・S・トマスの名を挙げるかもしれません。映画好きであればアメリカのジョン・フォード監督『わが谷は緑なりき』（一九四一年）がウェールズの炭鉱の谷を舞台にしており、原作はリチャード・ルウェリンによる一九三九年の同名のベストセラー小説であることを知っているかもしれません（ただし、ルウェリンは自分がウェールズ人で、父は坑夫であったと詐称していたのが、死後に虚偽であったと露見しました)。

ウェールズは、これにとどまらない、非常に豊穣な文学の鉱脈を持っています。それは、近代ウェールズの、「イギリスの一地方」にはおさまらない社会と歴史の厚みを背景としたものなのです。本書『暗い世界』は、日本ではほとんど認知されていないそのウェールズ文学の豊穣なフィールドの一端を紹介する試みです。

まず断らなければなりません。ここまで、「ウェールズ文学」という表現を使いましたが、現地(ウェールズ)でWelsh literatureと言うと、一義的には「ウェールズ語文学」を意味するのです。この後紹介しますが、ウェールズでは英語とならんでウェールズ語が公用語となっており、ウェールズ語による文学の伝統もしっかりと存在しているのです。

本書の編者と訳者は英語文学の専門家たちであり、ウェールズ語からの翻訳をする能力は残念ながら持ちあわせていません。ゆえに、ここで紹介するのはあくまで、「ウェールズ英語文学」(Welsh literature/writing in English)です(かつては英国系ウェールズ文学(Anglo-Welsh literature)という言い方もありましたが、現在は「ウェールズ英語文学」が主流です)。

さて、その「ウェールズ英語文学」の歴史ですが、文学の歴史とは同時にその文学を生み出した社会と人びとの歴史でもあるべきならば、ウェールズ文学へのイントロダクションは、ウェールズの歴史と社会へのイントロダクションともなるでしょう。

ウェールズ史概略

ウェールズはイギリス（ブリテン）西部の地域、もしくは国で、日本からはロンドンに飛んでそこから鉄道で三時間ほど西に旅すれば、南ウェールズのカーディフやスウォンジーに到達できます（乗り換え便でカーディフ空港を利用する方法もあり）。人口は三〇〇万人程度。「地域、もしくは国」という曖昧な表現をしましたが、一九九七年の住民投票でウェールズ議会が成立し、スコットランドと同様に半自治を行っています。英語でcountryと呼ぶのですが、これを「国」と訳しても「地方」と訳しても不十分なのです。

述べたように、ウェールズにはウェールズ語があります。現在も約七〇万人の話者がいますが、モノリンガルは存在しません。英語とのバイリンガルが基本です。

そのウェールズ語は、ケルト系の言語です。ウェールズに元々住んでいたケルト系のブリトン人（アーサー王伝説の民族）の言語です。中世には部族国家が生じ、一三世紀にはウェールズ公国が統治しますが、一三世紀終わりにイングランドのエドワード一世に征服され、イングランドに編入されます。この時、エドワード一世が長男エドワード（二世）に与えた称号が「プリンス・オブ・ウェールズ」で、これ以来イギリスの皇太子はプリンス・オブ・ウェールズと呼ばれるようになりました。

時代は飛びますが、近代のウェールズ英語文学にとって重要になるのは産業革命による近代化でした。産業革命の原動力、それはもちろん石炭であり、石炭を利用した蒸気機関や製鉄でした。南ウェールズには無煙炭と呼ばれる良質の石炭が大量に埋蔵されており、一八世紀終盤以降、それまでは農業国であったウェールズは炭鉱業と鉄鋼業を中心に一気に変化していきます。人口は一七七〇年から一八五〇年で倍増、一八五一年から一九一四年まででさらに倍増しています。一八五一年には男性労働者の三五％が農業、一〇％が炭鉱業に従事していましたが、一九一四年にはひっくり返って前者が一〇％、後者が三五％となっています。

ここで起こったのは他地域（イングランドやスコットランド）からの、炭鉱労働者の人口流入でした。それによって、大きく二つの文化・社会的な変質が起きます。ひとつは、

「労働者階級」の誕生です。近代の資本主義社会は生産手段を所有するブルジョワ（中産）階級と、みずからの労働力を商品として売るしかない労働者階級を生みましたが、ウェールズはイギリスの中でその最先端を行ったといえます。

もうひとつの変化は、右記の通りケルト系をルーツとしていたウェールズ（特に南ウェールズ）が「アングロ・サクソン化」したことです。ウェールズ語話者は一九世紀から二〇世紀の前半にかけてどんどん減っていきました（近年ではナショナリズムの隆盛と意識的な文化の保存によってウェールズ語話者数は回復傾向にあります）。

これらの変化の結果、南ウェールズには、（ウェールズ語話者の混じった）英語話者の強力な炭鉱労働者コミュニティが形成されていきます。重要なのは、それが単なる労働者の集団というだけではなく、文化と、なによりも階級としての自意識をそなえた「コミュニティ」となったことです。そして政治的にそれを代表するようになるのが、一九〇〇年にその前身が発足した労働党です。二〇世紀には、ウェールズの炭鉱労働者たちを中心としたストライキが何度か起きますが、例えば一九二六年のゼネストでは、全国のストライキの中でももっとも粘り強く戦闘的だったのが、ウェールズの労働者でした。

少々駆け足ではありますが、二〇世紀後半にエネルギー・シフトが起き、産業構造が変化すると（もしくは人為的に変化させられると）、石炭業は斜陽産業となっていきます。その歴史の終止符として語られるのが、一九八四年から八五年にかけての大ストライキです。この一年続いた全国的なストの中心にも、やはり南ウェールズがありました。このストライキは、マーガレット・サッチャーの仕掛けに応じた部分が大きいものでした。不採算炭鉱の閉鎖を宣言したサッチャーの真の狙いは、労働組合潰しでした。一年間におよんだストライキ潰しのためには、同じくサッチャーが仕掛けたフォークランド戦争の戦費以上が費やされたと言われます。結果、労働者たちは敗北し、以後、イギリスの炭鉱は次々に閉鎖し、炭鉱が支えていたコミュニティも廃れていきました。

コミュニティと文学

さて、そのような歴史を生きた個人と社会の経験を描いて伝えるのが、ウェールズ英語文学です。一九世紀にも何人かの目立った作家はいるものの、ウェールズ英語文学が明確なボリュームを備えた作家・作品群としての姿を現したのは、一九二〇年代から三〇年代といっていいでしょう。とりわけ、ウェールズ英語文学がロンドンを中心とするイギリス文学の文壇で存在感を発揮したのは、一九三〇年代におけるプロレタリア文学の流行に後押しされた部分が大きかったのです。本作品集には収録できなかったものの、ジャック・ジョーンズの『ロンザの環状交差点』(一九三四年)、B・L・クームズの『このあわれな労働者たち──南ウェールズに働くある炭鉱労働者の自伝』(一九三九年)、ルイス・ジョーンズの『マーディ谷』(一九三七年)『私たちは生きる』(一九三九年)など、炭鉱労働者がみずからの経験をもとに書いたプロレタリア文学が、ロンドンの出版社から出版されるというパターンが確立しました。

もちろん、ウェールズ英語文学は、炭鉱の経験だけを描くものではありません。冒頭に名前を挙げたディラン・トマスは、おそらくウェールズ文学の中でもっとも名を知られた詩人・劇作家・小説家ですが、彼はむしろ「炭鉱のウェールズ」からは背を向けて作品を書きました。また、ここまでの解説はすべて南ウェールズの炭鉱地帯のみに限定されていましたが、炭鉱地帯ではなかったがゆえに、より「ウェールズ性」を色濃く保持してきた北ウェールズの社会と文学も忘れることはできません(北ウェールズでは、南ウェールズとは違って街中でウェールズ語を普通に耳にします)。例えば、一九一九年生まれのエミール・ハンフリーズ(『おもちゃの叙事詩(*A Toy Epic*)』(一九五八年、未邦訳)など)のような作家は、ウェールズ・ナショナリズムへの目覚めを文学的表現の広い背景としました。上記のウェールズ史概略からは割愛してしまいましたが、政治的にも、ウェールズ・ナショナリズムは一九二〇年代以来の一大テーマであり続けています。

それにしてもやはり、労働者コミュニティの経験はウェールズ文学にとって中心的なものでした。ですが、その経験は、戦後に早速「ポスト産業社会」の経験へと移行していきます。とりわけ前節の、一九八〇年代ストライキ以降の文学は産業とコミュニティが失われた空虚さを中心としています。本作品集に収録したロン・ベリーやレイチェル・トレザイスの作品はその雰囲気をあますところなく伝えているでしょう。

最後に、本書の編者をウェールズとその文学へといざなった重要な書き手《ライター》について一言述べておきましょう。レイモンド・ウィリアムズ(一九二一—八八年)です。普通はカルチュラル・スタディーズの祖、ニュー・レフトの論客として知られるウィリアムズは、小説家でもありました。彼の半自伝的小説『ボーダー・カントリー』(一九六〇年)(『辺境』として邦訳が出ています）は、一九二六年のゼネスト下の南ウェールズの経験と、その南ウェールズの炭鉱労働者コミュニティからは離脱してしまった一九五〇年代の語り手の経験を往還する、労働者階級小説でありつつ、同時にポスト産業小説でもあるという意味で、ここまで解説したウェールズ英語文学の重要な側面をすべて備えた名作です（ウェールズ・ナショナリズムの問題も入っています）。やはり本書に作品を収めることはできなかったものの、可能ならばぜひ読んでいただきたい作家です。

文学は、なによりもまず経験を伝えるものです。その意味ではこの「はじめに」はすでに、ウェールズの歴史や文学史について多くを語りすぎたかもしれません。あとは沈黙して作品に語らせるとしましょう。ウェールズ英語文学という、多くの読者にとっては未知であるだろう世界への魅力的な入り口に、本書のために選んだ五作品がなっていることを祈りつつ、扉を開けてみなさんを招じ入れたいと思います。

河野真太郎

目次

Rhys Davies, 'The Dark World'; Gwyn Thomas, 'Thy Need'; Margiad Evans, 'The Lost Fisherman'; Ron Berry, 'Time Spent' from Dai Smith, ed., *Story: The Library of Wales Short Story Anthology*, Volume I, Parthian, 2014.
Rachel Trezise, 'Hard as Nails' from *Cosmic Latte*. Parthian, 2013.

暗い世界

リース・デイヴィス

川端康雄＝訳

The Dark World

Rhys Davies

「今夜はどこに行けるかな」とジムが聞いた。また雨が降っていた。灰色の霧の立ちこめるなか、谷底の家々が身を寄せあい、ちぢこまっている。そのむこうでは山々が、獲物を狙う獣のように、姿を見せずに徘徊《はいかい》していた。鉄製の街灯が弱々しい光を放っている。クリスマスまで三週間あった。ふたりはチャペルの戸口に立って無駄話に興じていた。雨がびしゃびしゃと足元に跳ねかかっている。

トマスが言った。「カルヴァリア長屋《テラス》で死人が出たって」

「じゃあ拝みに行こうか」ジムがすぐさま持ちかけた。

この数週間というもの、ふたりは遺体を見ていなかった。一晩で五体も見たものだから、しばらくは訪ねる気になれなかったのだ。そんなふうにくりだすときには、家並みが延々と連なる通りを歩き、白いシーツでおおわれた窓を探すのだった。シーツが掛かっているのはその家に死人が出たしるしだ。それでお目当ての家が見つかると、ドアをたたき、故人にお目にかかれますかと、丁重に尋ねるのだった。一度だけ断わられたことがある。お屋敷《ヴィラ》でのことで、ふつうの家ではなかった。それをのぞけばどこに行っても、遺体の置かれた居間や寝室に通された。棺《ひつぎ》まで案内され、つかのま死顔を拝ませてもらうこともあった。ときにはその家のおかみさんが、あるいは娘さんかもしれないが、姿を見せて、「お知り合いだったんですね」と言う。あるいは、死んだのが子どもだと、「学校のお仲間ですか」と聞かれた。そう言われてふたりは沈痛な面持ちでうなずくのだった。そんな劇が演じられる家を探しもとめて、ふたりはよくこの谷あいを三マイルも四マイルも歩きまわったものだ。いつもきまってジムがドアをたたき、帽子を手にもって、「奥さん、お悔みにまいりました」と言うのだった。

カルヴァリア長屋《テラス》の家に着くと、ふたりは人びとの群れに混じった。昨日死んだばかりで、しきたりどおりに隣人たちも弔問に訪れていたのだ。二階の部屋まで長蛇の列ができている。死んだのはかなりの年の爺さんで、遺族はむしろ浮き浮きしているように見受けられた。せわしくしていたおかみさんが、階段の踊り場でショールをまとった隣人にこうささやくのがトマスの耳に入った。「ねぇジニー、あの喪服、物干しに干してたやつ、あれ貸してくれたら助かるんだ。保険金だけじゃ葬式代が足りないんだよ。ねえ、エムリンは先週炭坑《やま》を四日も休んで稼ぎなしさ。まあいまは逝《い》っちまって、下宿人を入れられるけど」。そして拝みこむように、「ジニーや、ハムにパン粉まぶすの頼むよ……恩に着るからさあ」〔ベイクトハムはウェールズの葬儀で会葬者に出す料理の定番〕。老人の遺体のうえには継ぎはぎのキルトが掛かっていた。死に顔には穏やかな驚きの表情が浮かんでいる。その耳のなかに乾いた石鹸の泡が残っているのにトマスは気づいた。さらに四人の弔問客が寝室に入ってきて、ふたりの少年はほとんど押しのけられるように外に出された。だれもふたりにかまわない。一階におりて、がりがりにやせて邪険に見える若い女に水を一杯くださいと言った。すると思いがけず、小ビールを一杯ずつふるまってくれた。これは嬉しい。

「あいつ、死んでるようには見えなかったなあ」とジムはまるで担《かつ》がれたかのように言った。「もっと探そうぜ。十一月はたくさん出る。気管支炎とか結核とかでやられるんだ」

「まるで結婚式だったね」とトマスが言った。ふたたびふたりは戸口に立ち、雨の暗幕が谷をおおってゆくのをぼんやりと、手持ち無沙汰にながめていた。

「昨晩、おふくろがまたガキを産んだ」とジムは突然眉をひそめて口走った。どんなのだったかい、とトマスが聞くと、ジムはまだ知らないと言った。だがジムにはわかる。これで九人になった。おやじとおふくろと下宿人ふたりのほかにだ。ジムは文句を言わないが、近頃では、おれは学校を出たら坑夫じゃなくて、船乗りになるんだ、と言うようになっていた。

ジムは晩によく母親から、出かけておいで、と言われて外に出された。母親は険《けん》のある黒い眉をした女で、いつだってかならずうるさい赤ん坊がいた。ジムの父親はアイルランド人。この界隈では名うての呑んだくれの坑夫だった。この一家全体が、野っ原に固まって生えている渋草《しぶくさ》みたいに野卑だった。トマスの母親は、おまえ、あんな子とつきあっているのかい、と驚きの面持ちでときどき小言を言う。ふたりは学校で席が隣同士だったのだ。ときどきトマスはジムに、体を洗ってこいよ、きたないな、と言うのだった。

ふたりはふたたび街路にくりだした。窓辺の白いシーツを鵜《う》の目鷹《たか》の目で探しつづける。しばらくしてそんなシーツを出している家を見つけた。黄色いしみのようなロウソクの明かりが応接間の白布を通してひまわりみたいに輝いている。ジムがドアをたたくと、ギシギシと音をたてて喪服姿の大柄の女があらわれたので、中に入れてもらうように丁重に頼んだ。だが女はやさしい口調で言った。「遅かったね。今日お茶のあと棺桶を閉めたんだよ。葬式は明日だよ。花輪を見たいかい?」ジムは躊躇し、トマスに尋ねるようにふりかえる。それ以上なにも言わず、ふたりともこの誘いを断り、もごもごと礼を言って立ち去った。「今夜はついてねえな」とジムがつぶやいた。

「ビールが出たじゃないか」とトマスはジムに思い出させた。山風がひゅーと吹きおろすなか、足早に進んでいくと、街灯のしまりの悪い蓋《ふた》の鍵が風で開き、かぼそい光が吹きとんだ。谷底に着いたとき、夜は暗く、荒《すさ》み、また悼《いた》んでいた。降りしきる雨が頬と手に鞭のように熱く突き刺さる。このあたりは薄汚れたおんぼろの家がごっちゃに並んでいる。コウモリが群れて動かずにいるような家並みだ。一匹のスパニエル犬が、ふくれた腹を引きずりながら、骨のような灌木の下から姿を見せ、クーンと鳴いた。雌犬で、道に迷い、途方に暮れ、疲れはてているようだ。腹のなかの重荷がこたえているのだろう。暗い裏通りのなかでふたりは白いシーツをみつけた。冬の沈黙がここにある。黒い家並が雨のなかでてかてか光っている。あたりに人影はない。

「ひきかえそう」トマスが小声で言った。「雨だし遅いから」

「ひとつあったじゃねえか」とジムが言い張った。「はるばるここまで来たんだぜ」。そう言ってドアをたたいた。ノッカーのないドアだった。

ドアが開いた。ランプの明かりに照らされて、ひとりの男が立った。そのうしろには暖かい火の色の室内が見える。開かれたドアのむこうは居間になっている。ジムがいつもの丁重な口調で入れてもらうように頼むと、男は静かにわきによけた。ふたりは煌々《こうこう》と火の焚かれたなかに入っていった。

だが家のなかには死の風味があった。本物の、なまの死の風味だ。ひどく腰の曲がったばあさんが火のまえに腰掛け、こっくりしている。黒いカーディガンをまとい、肉の落ちた喉元にゼラニウムのブローチをつけている。トマスは男をじっと見る。すると男は大声で言った。

「トマスじゃないか」。男は椅子にどさりと身をしずめた。「おお、トマス」と傷心の声で言う。そのうちひしがれた顔は、新たな痛みを受けつけまいと、もがいているかのよう。この背の高い美男子は、トマスの知りあいのイライアスだった。血の気のない灰色のこわばった顔は地下ではたらく人間に特有のものだ。

トマス少年は、ああこれは、でもまさか、と気が動転してその場に立ちすくんでいた。なにも言葉が出ない。思い切って聞いてみることもできない。すると恐ろしいことにイライアスはこう言った。

「グウェンに会いに来てくれたんだね。はるばるここまで。つい昨日《きのう》なんだ。きみのおふくろさん、聞いたかなと思った。あの娘《こ》に会いに来てくれたんだ」

「うん」とつぶやくトマスは、うなだれている。ジムはそわそわとして立って待っている。ばあさんはまだこっくりしている。息子が大声で呼びかけた。発する声には痛々しい響きがある。在りし日々を思い起こさせるたねが新たにあらわれて、動揺を隠せないのだ。「かあさん、トマスだよ、モーガンさんの坊やだ。覚えてるだろ。グウェンが好きだった子だよ」

ばあさんはおそろしい声で泣きだした。枯れたバラのようなしわだらけの茶色い顔をくしゃくしゃにして、ゆっくりと、つらい涙をしぼりだす。「あたしが逝《い》きゃあよかったんだ」と、弱々しく、なにかに駆られるように言った。「理不尽だよ、まったく」

トマスはこっそりとイライアスを見やる。動揺は静まっただろうか。三年前、トマスはイライアスの付《つ》け文《ぶみ》をグウェンに届けることをよくしていた。彼女はトマスの家の使用人だったのだ。トマスから見るとイライアスとグウェンはしょっちゅう喧嘩をしているみたいだった。イライアスは何時間も通りに立っていて、ようやくトマスが通りすぎると、さっと駆け寄り、しわがれ声でこう言ったものだ。「トマス、悪いけどグウェンにこれを届けてくれないか」。グウェンは家の台所で付け文を受け取るといつも髪をかき上げ、ときには憮然《ぶぜん》としてそれを読みもせず火に投げ込んだ。……けれどグウェンはやさしかった。晩に出かけると、イライアスからもらったチョコレートをいつもお裾分けしてくれたのだ。何度か、グウェンは許しをえてトマスをミュージックホールに連れて行った。トマスは嬉々としてグウェンとイライアスのあいだに座り、手品師の妙技を見たり、タイツ姿の女たちが戯《ざ》れ歌をうたいながら、宝石をまとった胸を波打たせるのを見たりしたものだった。だがトマスは気づいていた。イライアスは自分のことを邪魔に思っていると。だいぶたってから、グウェンはイライアスと結婚した。だがそれでトマスの家を出るまえに、グウェンはまる一週間というもの、毎日泣いていた。目鼻立ちのくっきりした顔が濡れて、暗く陰っていた。トマスの母親がグウェンにりっぱな置き時計をプレゼントすると、グウェンは涙ながらに、あたしぜったいネジを巻かない、使わなきゃ長持ちするもの、と言った。それからしだいに彼女は消えていった。谷のむこう端《はし》の底のほうで、新婚生活に入ったのだ。

イライアスは見るからにずいぶん老けこんだ。それに痩せた。トマスはなるべくかれと目をあわせないようにした。内々でこんなふうに悲嘆にくれているなかに引きずり込まれてしまって、いたたまれない思いだ。ばあさんはまだ震え声をあげている。ようやくイライアスが口をひらく。いまは静かな口調だ。「トマス、あの娘《こ》を見に二階《うえ》に上がったらいい。お仲間もね」。そう言って階段に通ずるドアを開けた。ひょろ長い、やつれた姿で、ふたりが通るのを待っている。トマスは気が進まなかったが、かれのかたわらを通りすぎる。胃が冷たい。上がりたくなんかない。だけど断ったらイライアスは傷つくだろう。ジムは無言で、言われるがままに、しずしずとあとにつづく。

狭い、とても狭い寝室で、天井も低い。ろうそくが二本ともっている。ピンクのカバーが掛かったベッドがあり、そのわきのテーブルに真っ白な菊の花束が置いてある。イライアスが先に進み、亡骸《なきがら》の顔から肩まで掛けられていた白い面布《めんぬの》をもちあげた。

彼女はつつみこまれてベッドに横たわっていた。まるで静かに眠っているかのよう。狭い寝室なので目をそらす先がない。トマスは見て、驚き、ぞっとした。グウェンの胸もとまでシーツが折り返されると、両腕のなかに青白い蝋人形が白布に巻かれて収まっていた。人形だ！　驚きは恐怖に転じた。金縛りにあい、氷のように冷たい風が頭上を通りすぎたみたいに、頭皮が縮まったかのように思えた。まさか。グウェンの静かな胸にいだかれている、この血の気のないコチコチのしろものが、赤ん坊のはずがあるものか。イライアスがしわがれ声でささやく。話しながら、灰色の手で敷布の折れ目をなぜまわしている。

「ひどいもんだ、トマス、グウェンがこんなことになるなんて。このふたりがね。おれは炭坑《やま》にいたんだ。仲間が呼びにきた。だけど帰るまえに逝っちまった。ウォトキンズのおやじが車で送ってくれたのに……死に目に会えなかったんだ、トマス、この娘《こ》がおれを呼んだのに――」イライアスの声が途切れた。トマスがぞっとして、苦しい思いで見ていると、イライアスはベッドのかたわらでくずれおち、ベッドに顔をうずめた。

もういやだ。トマスは逃げだしたかった。駆けだしてこの狭苦しい部屋から逃げ去りたかった。ベッドのわきで泣きじゃくっている男から逃げたい。ベッドに横たわるものから逃げたい。まえは温もりがあるグウェンだったのに。その腕にいだかれた奇妙な生き物から逃げたい。まるで温もりなどいちどもなかったみたいなしろものから。恐怖が悪夢のような脅威に転じ、じわじわと迫ってきた。……思わず知らず、トマスはぱっと部屋からとびだして、踊り場に出た。ジムがあとにつづく。かれも参っているようだ。

「おさらばしようぜ」とジムはそわそわしてささやく。

階下《した》におりた。ばあさんがお茶をいれている。こうして立ち働いていれば悲しみを忘れていられるみたいだ。「一杯飲んでいきな。ケーキもあるよ」

そう言われてジムはまんざらでもないようだが、トマスが苦悶の表情でジムの袖をひっぱった。イライアスが重い足取りで階段をおりてくる。部屋に入ってきたかれは、静かで、良心の呵責《かしゃく》にさいなまれているような表情だった。ちょっとのあいだかれはトマスの肩に手を置いて言った。

「なあトマス、覚えているかい、エンパイア座に通《かよ》ったことがあったよね。きみとグウェンはあの中国人が贔屓《ひいき》だったよな。空き箱から白い鳩を出したやつ」

だがトマスには見てとれた。これはおなじイライアスじゃない。気のないグウェンを長いこと忠犬のように待っていたのであっても、かつては意志の強い颯爽《さっそう》とした若者だった。それがいまは別人だ。肩のあたりがすっかりたるんでいる。けっきょくグウェンはこの男を打ちくだいてしまったのだ。トマスはお茶を半分すすったが、ケーキには手をつけなかった。ほとんど無言でいた。イライアスはいろんな楽しい思い出話をもちだしてきた。山にのぼってピクニックをしたこと。そのときグウェンが青い花をほしがったので、イライアスは石切場のうえまでよじ登ってそれを摘んだ。「あんな危ないことさせるなんてね」と付け加えるイライアスの言葉には、奇妙な含み笑いがまじっている。「そしたらグウェンのやつ、その花をきみにやるんだからなあ」。そう言ってイライアスは座ってしばし物想いにふけっていた。顔をそむけている。それから、トマスがふたたびぞっとしたことには、イライアスがまたうぉんうぉんと泣いたのだ。

母親がよろよろと息子のほうに行き、ふたりの少年にささやいた。あんたら、もう帰ったほうがいいかもしれんねえ。嫁《よめ》が逝《い》ったのはつい昨日《きのう》のことでなあ、せがれはすっかり参ってしまっておる――このばあさん自身が、悲嘆に暮れるあまり、すっかり身を硬くしてしまっていた。少年たちは押し黙って戸口にむかった。ジムは遠慮しているようで、なにも言わずにいる。

だが外に出て、暗い裏通りに入ると、ジムは言った。「あの女、どうやってあんなもん放《ひ》り出したんだろうな。あれ赤ん坊だったよな」。なんの反応もないので、ジムは今度は自慢げに付け加える。「おふくろなんかしょっちゅう産んでるけど、三日寝込むだけだぜ。それで死にゃしねえし、死にかけたりもしねえ」。トマスはジムとならんで、まだなにも言わずにとぼとぼ歩いている。ジムがつづけた。

「あいつ、また結婚するんじゃねえかな。まだ若いしね……大の男があんなふうに泣くなんて見たことねえや」とかれは蔑むような口調で付け加えた。

だがトマスにとってはこの夜はすべてが泣いていた。暗い裏通りは死者たちの通り道で、固く閉ざれた家々は墓石の群れだった。かれは風が吹きすさぶ音を聞いた。雲は冷たい幽霊が徘徊しているような感じだ。氷の雨のしずくが両頬を刺し、トマスは身をふるわせた。白い静寂につつまれたグウェンの顔が、失われた死んだ月のようにかれのまえに去来した。トマスはそれに怯えた。そんなものとかかわりたくない。体のなかで吐き気がした。そしてそのあいだずっと、かれは風のようにわっと叫びだしたかった。雨のようにおいおい泣きたかった。

「もっと探そうか」とジムが言った。その声には、食欲が満たされず、いや増しているのがうかがえる。

トマスは一軒の家の濡れた壁にもたれかかった。心中でなにかが決壊した。片手を上げて、そこに顔をうずめて泣いたのだ。怖れて、ぞっとして、そして悲しくて、かれは慟哭《どうこく》した。この暗い世界のなかにひどく恐ろしいものがある。おうおうと、低い遠吠えのような泣き声が喉からしぼりだされる。ジムは、これを恥ずかしいと感じ、なんだろうといぶかしく思っていたのが、軽蔑の念に変わった。

「おい、どうしたってんだ」とジムはなじった。「あんなのこれまでしこたま見てきたじゃねえか……おい、泣くんじゃねえ」と、怒ってだまらせようとする。「人が来るぜ」と言ってジムはトマスを突きとばした。

トマスもやりかえす。世界全体が紛糾し、脅しつけ、敵意をむき出しにしていた。トマスの手の甲がジムの頬骨をぴしゃりとたたいた。たちまち取っ組み合いがはじまる。だがそれも長くはつづかない。もつれた勢いで泥水のたまりに転がり落ちたのだ。ふたりして驚き、ぞっとしたことに、体中が泥まみれになってしまった。

「うああ」とジムが叫んだ。「こりゃあ叱《しか》られちまう」

トマスはよろめきながらその場を離れ、荒々しい夜のなかにひとり歩きだした。まわりのすべてが新しい王国だった。必死にかれはほかのことを考えようとつとめた。海辺の休暇のこと、クリスマスのこと、山々のむこうの谷にある胡桃《くるみ》の木々のこと――そこでは春にツグミの巣も見つかる。巣のなかには彩りあざやかな卵。泣いたところをジムに見られてしまったなあ。それを思い出すと、トマスは腹立たしくなり、あいつ、いやなやつだ、と思った。

家に通じる丘のうえに来たところで、トマスは切なくなって立ちどまった。そのがらんとした高所は敵意ある天にむかって開かれていた。風と雨の打撃を無防備に顔面に喰らっているような大地のかたまりだ。かれは風の吹きすさぶ音のなかに嘲《あざけ》りを聞いた。篠《しの》突《つ》く雨に憎しみと怒りを感じた。

リース・デイヴィス「暗い世界」解題

川端康雄

リース・デイヴィス（Rhys Davies）は一九〇一年にロンザ渓谷のクラダハ谷（トニーパンディの北西）にある炭鉱町ブラインクラダハ（Blaenclydach）に生まれた。父は食糧雑貨商を営み、母は学校教師だった。両親ともウェールズ語を話したが、子どもたちは英語で育てられた。一四歳で学業を終え、その後四〇年間文筆で身を立てた。ウェールズの散文作家のなかではもっとも多作で成功した作家のひとりであり、短編小説は百点を超え、長編小説は一八点を発表した。代表作に『枯れた根』（*The Withered Root*, 1927）、『黒いヴィーナス』（*The Black Venus*, 1944）、自伝『野ウサギの足跡』（*Print of a Hare's Foot*, 1969）、戯曲『逃げ道なし』（*No Escape*, 1954）がある。生涯の大半をロンドンで過ごし、一九二〇年代末には D・H・ロレンス夫妻と親交をもつなど、イングランドのモダニズム作家との関わりがあるが、作品の多くは生まれ故郷のロンザ渓谷を舞台にしている。一九六七年には「選ばれた者」(The Chosen One) によって、米国のエドガー賞(短篇部門賞) を受賞している。一九七八年に死去。没後一九九〇年にウェールズの英語作家を助成する目的で「リース・デイヴィス基金」が設立された (http://www.rhysdaviestrust.org/)。

日本語に訳されたリース・デイヴィスの作品として以下がある (いずれも短篇小説)。

「ロンドンでお買物」(The Trip to London) 山本俊子訳『ミステリマガジン』第一三八号 (早川書房、一九六七年一〇月)

「キャサリン・フクシアのジレンマ」(The Dilemma of Catherine Fuchsias) 浅倉久志訳『ニューヨーカー短編集2』(早川書房、一九六九年)

「選ばれた者」(The Chosen One) 工藤政司訳、石川喬司編『世界ミステリ全集(18) 37の短篇 (傑作短篇集)』(早川書房、一九七三年)。以下に再録。ビル・プロンジーニ編『エドガー賞全集 (下)』(早川書房、一九八三年、「選ばれたもの」

と改題）。早川書房編集部編『51番目の密室――世界短篇傑作集』（早川書房、二〇一〇年）

「ナイトガウン」（Nightgown）土岐恒二訳『すばる』第二巻第五号（集英社、一九八〇年五月）

本作「暗い世界」（The Dark World）はデイヴィスの短編集『指をすべてのパイに』（*A Finger in Every Pie*, Heinemann, 1942）に収録された（'a finger in every pie' とは「何にでも手出しをする、引っかき回す」という意味の慣用句）。

この作品もウェールズ南部、おそらくデイヴィスの故郷であるロンザ渓谷のなか、時代は作者の少年期の一九一〇年代であろうか。クラダハ谷は産業化以前は過疎の村だったが、一八四〇年代に炭鉱が開かれ、一九世紀後半に炭鉱町として急速に発展、人口が急増し、炭鉱労働組合の結集の地ともなった。

主人公のトマスとジムは学校の同級生で席が隣同士の遊び仲間、年齢が記されていないが、おそらく（この頃の学制での）最終学年で、もう一三歳になっているだろうか。ふたりの家庭環境はだいぶ異なる。ジムの一家（父親はアイルランド人）は、前夜に生まれた赤ん坊を加えると九人兄弟、下宿人もふたりいて、おそらく典型的な炭鉱労働者むけの二階建てテラスハウス（同一構造の家が何軒も横につながった連続住宅）の一棟にすし詰め状態でくらしている。トマスの家（高台にある）のほうは、小間使いをひとり雇い入れているところをみると、ジムの家と比べて多少暮らしに余裕がある。ジムのほうがいっそう腹を空かせていて、だから見ず知らずの死者の出た家を探しまわって訪ね、通夜の席に紛れ込んで食事にありつきたいという切実な欲求があり、高低差のある谷を「三マイルも四マイルも」歩くのを苦としない。トマスのほうはそこまで切実ではなく、むしろジムに付きあって弔問客を演じる劇をおもしろがっているようだ。しかし家からずっと離れた、反対側の谷底の（少なくともこのコミュニティでは地理的にもまたおそらく社会的にも最底辺に置かれた）地区で喪中を知らせる白いシーツに窓を覆われた家に入ったときに、トマスはあまりにも過酷な現実に直面することになる。

欧米で、また日本でも、ヤングアダルト小説というジャンル、すなわちティーンエイジャー（一二歳から一八歳ぐらいまで）という「若い大人」を読者対象に想定した小説ジャンルがいまでは定着していて、多くの名作が生まれている。そのジャンルの一類型として、ハッピーエンドとは真逆の、主人公が過酷な現実に直面して絶望の淵に沈む物語群がある。デイヴィスの「暗い世界」の陰鬱なリアリズムは、後年に出てくるそうした「暗い」ヤングアダルト小説を彷彿とさせる。人も谷も、空も山も風も雨も、主人公の少年にとって、すべてが自分に敵対し自分を呪っているように感じられる、そんな過酷で陰鬱な小説世界のリアルから、過酷で陰鬱な現実世界に生きている若い読者が、逆説的にも生きるためのなにかの力を摂取する、そういうはたらきをもつ小説というものがある。本作品はそうしたジャンルの小説作品の先駆的な作品として位置づけることができるのではないだろうか。「暗い世界（ダーク・ワールド）」という直截でひねりのないタイトルながら、その含意は深い。

あんたの入用

グウィン・トマス　山田雄三＝訳

Thy Need
Gwyn Thomas

聖霊降臨祭の振替休日、この日は雨ともやが一週間つづいたあとで、ひさしぶりによく晴れた日だった。メドウ・プロスペクト辺りの丘陵地では、春は雨が降らない日はほとんどなく、天気も変わりやすかった。なので村人たちは弾けるような陽光に心を踊らされた。というのも今日この月曜にはお祭りと運動会が予定されていたからである。憲政クラブが主催し、今年で六回目となる体育の日がまさに開催されようとしていた。洗濯済みの色鮮やかなクラブ旗が竿の先端でたなびいていた。クラブの青年部は木造のクラブハウスを飾りつけ、内部にお茶用のテーブルをたくさん並べていた。ここで午後五時にお茶が出される手はずとなっていた。すると早くも正午ごろから、クラブ会員家族の子どもたちがいくグループも玄関先にたむろし、今か今かとお茶の時間を待ちわび、舌なめずりをしていた。子どもたちは鷹が餌に向かって急降下するときのように、クラブハウスの周りをぐるぐる回り、メドウ・プロスペクト全体がいつも以上に飢えていて、目ざとい雰囲気を醸しだしていた。

その日のほとんどの競技が終わったころ、シルヴァヌスとヴァーダンそれにエルウィンの三人の仲間たちはメドウ・プロスペクトのベンチに腰を下ろした。すぐ近くではロドヴィーコ・ファチェーリがアイス・クリームの屋台を出していた。この日は時間が経つにつれて、どんどん暖かくなっていた。三人の少年たちはいずれもめかしこんでいて、ピンと糊が効いた白い先尖りの襟を着けていた。これはこの地方で当世流行りの趣向であった。彼らの顔は強い日差しと長いこと首を絞めつけているせいで、上気していた。ヴァーダンはロドヴィーコのところへ行き、ひとつ三ペニーのウェハースを三個注文した。するとイタリア人店主は彼らのためにアイスを特別山盛りに盛ったウェハースを作り、それを少年たちにわたすと、屋台にもたれかかり、彼らの顔をまじまじと見つめた。その眼差しは、少年たちを見ているとこの上ない喜びが湧き起こってくると言わんばかりであった。ロドヴィーコという男はあまりにも夢見がちで、気前もよすぎたので、商売でうまくいく見込みはないだろうと、みな思っていた。それでも彼はなんとか商いをつづけていた。ヴァーダンは時おり愛想よくロドヴィーコに手を振り、この店主の顔に浮かぶ優しさとウェハースの厚みをけっして無駄にはしないという思いを伝えた。

「おまえたちはどのレースに出たんだい」ロドヴィーコが尋ねた。

「俺たちは係員だったんだ」

「係員だって？　いったいなにをするんだね」

「俺たち、憲政クラブ代表のマースデンさんのもとで、ちょっとした仕事をしているのさ。もしマースデンさんが地面に叩き入れなきゃならないものを見つけたら、たとえば釘とか杭とか審判の言うことを聞かない有権者〔ウェールズでは一九一八年より二十一歳以上の成人男性に投票権が与えられた。一九三〇年代の南ウェールズでは、成人男性を「有権者」と呼ぶ風習があったようだ。〕みたいなものだけど、俺たちに木槌と「進行よし」の表示板をわたすのさ」

「で、今はお茶の時間になるのを待っているってわけか」

「もうひとつレースが残ってる。今日の最終レースの競歩さ。オンルウィンのおっちゃんがエントリーしてて、すっげー競歩術でライバルたちのど肝を抜くことになるだろうよ」。シルヴァヌスが言った。

「おじさんはすごいのかい」

ヴァーダンが答えた。「おっちゃんは昔、白馬って呼ばれてたんだよ。長くて白い股引を履いてるし、足取りもすごく強靭だからさ。それにスタートの切り方にも秘訣がある。両足をぐにゃりと曲げてかまえたあと、弾丸のように飛び出していくんだ。まるでマジックとしか言いようがない。それを見せつけられたほかの選手は、とたんにスタートを切れなくなっちゃうんだ。このレースは短いから、スタートがなにより肝心だ。ロドヴィーコさん、俺正直言って、オンルウィンのおっちゃんのこと、とくにあのスタート・ダッシュのことを考えると、ほかの選手のことが気の毒に思えてくるよ。裏通りが静かになると、おっちゃんが練習するのをなんども見ていて、知ってるんだ。だから俺はおっちゃんのこと、白い閃光って呼んでるんだ。なにせスタートの直後見えるものって言ったら、砂ぼこりとどんどん小さくなっていくおっちゃんのケツだけなんだから。おっちゃんにとっても、今日はとてもだいじな日になるよ。というのもオンルウィンのおっちゃんにはこれまでなにもいいことがなかったし、これがここではじめて行われる競歩会だってことを考えると、おっちゃんはこれまでいちどだって、きらりと輝いたことなどなかったからさ」

「おじさんには勝ってもらいたいねえ」ロドヴィーコは言った。「知ってるさ、オンルウィンのことは。気持ちのいい中年の有権者だ。それに人のことばかり思いやっている」

「結局、おっちゃんが勝つさ」ヴァーダンが言った。「シル！　ロドヴィーコさんに馬糞のことを話してやれよ」

「いや、いや、それはダメだ」シルヴァヌスは言った。「それは秘密にしとかなきゃ。それにどっちにしろ、ロドヴィーコさんはそんな話、聞きたくなかろうよ。なんつってもアイスクリーム売りのようなきれいな種類の仕事をしているんだから」

「馬糞だって」ロドヴィーコは少年たちに依然満面の笑みを向けて言ったが、その表情は明らかに当惑していた。「だからおじさんは白馬って呼ばれているわけかい」

ヴァーダンが答えた。「ちがう、ちがう。じゃあ俺が教えてあげるよ。オンルウィンのおっちゃんは以前この谷あいに住んでいたジートーっていう名の有名な競歩者のことを耳にしたのさ。このジートーっていう人、じつに鳥のように俊敏だったんだって。羊を追いかけて突進し、野ウサギを捕まえる、そんな感じの有権者だった。オンルウィンのおっちゃんは大の読書家だからさ、あるときジートーのことを書いた古い本に出会った。その本によると、ジートーは古くなった馬糞をベッドにして眠ったから、身体がしなやかになったんだって。そこでオンルウィンのおっちゃんは棺のような丈の長い箱を作って、そこに馬糞を半分敷き詰めた。そして家の裏の小屋に箱を置き、この一週間というものそのなかで睡眠を取りつづけたんだ。おかげでこの一週間でおっちゃんの身体はどんどんぐにゃぐにゃになってきた。おっちゃん、二晩そこで過ごしただけで、もうかなりぐにゃぐにゃになったので、そこの憲政クラブの旗のようにゆらゆらと揺れ歩いていたんだ」

「そりゃたまげた!」ロドヴィーコは言った。「オンルウィンはかなり貧乏しているにちがいない。イタリアですら、馬糞の上に寝る奴などひとりもいない。だがあいつには勝ってほしいなあ」

「ロドヴィーコさん、そいつはまちがいない。なんでかと言うと、身体がぐにゃぐにゃになったことに加えて、おっちゃんにはグリップって秘密道具があるからさ。硬いゴムを素材に、おっちゃんみずからこしらえた道具で、おっちゃん、息が切れてきたなと感じるときまってそれを口に咥えるんだ」

「その道具の話はやめとけよ」シルヴァヌスは言った。「ロドヴィーコさんはおっちゃんが箱のなかで寝ているっていう話を聞いたあとだから、きっとわけわかんなくなっちゃうよ」

ヴァーダンはつづける。「グリップの話が馬糞の話よりもっと傑作だと、俺は思うよ。おっちゃんがグリップを口に装着すると、グリップを口いっぱいに頬張ったように見える。そして歯という歯は突き出し、剥き出しになる。ここだけの話にしておいてほしいんだけどさ、おっちゃんが白馬って呼ばれるのは、なにも股引や足取りからの連想だけじゃないんだ。おっちゃんの顔がまったくもって馬面になるからなんだ」

「あいつは賞金をどうしようと思っているんだい」ロドヴィーコは尋ねた。

「おっちゃんはもう全部計画済みさ。ガーデニング用具を買うんだ。おっちゃんはずっと以前から用具をちょっとでも手に入れたいって思ってた。おっちゃん、いつも金物屋のフィニアス・モーガンのショップ・ウィンドウを長いこと見ているもんだから、店主のモーガンがいつも邪魔をして、ホコリを払うボロ布で窓を二払いすれば、かならず一払いはおっちゃんの顔に当たるんだよ。オンルウィンのおっちゃんがどうしてこんな用具をほしがっているかというと、おっちゃんは土いじりが好きで、ちょっと土地を手に入れて、畑をしたいと思っているからね。じゃあ、さいなら。ロドヴィーコさん。俺たちゃ〈リトル・アーク〉に行くよ。あのゴーセッズ通りの突き当たりにあるパブね」

「飲むのかい」とロドヴィーコ

「いやいや。レースはそのパブからスタートするんだ。賞金を出すのがそのパブのおやじのハーグリーヴズだからね。オンルウェンのおっちゃんが飲み屋業からなにか得をするのは、おそらく初めてになるだろうよ」

三人の仲間たちは〈リトル・アーク〉へと足を向けた。そこはメドウ・プロスペクトでは比較的古い旅籠兼居酒屋のひとつで、屋根は低く赤錆び色をしていた。三人は遠くからでも、おやじのハーグリーヴズが軒先の敷石路に突っ立っていて、最初にやってきた参加者や彼らの応援に駆けつけた人たちに挨拶をしている姿が見えた。また三人は、オンルウィンのおっちゃんが横丁から姿を現わし、連中と一緒になるところを目にした。ヴァーダンとシルヴァヌスはオンルウィンのおっちゃんのことを訝《いぶか》しく見つめた。というのもつい先ほど彼に会ったときには、おっちゃんは溌剌としてしなやかで、一挙手一動、一言一句にも匠を思わせる気配があったのに、今ではすっかり変わってしまっていたからである。今のおっちゃんはゆっくりと歩いていて、どこか物思いに耽っているような表情を浮かべ、メドウ・プロスペクトではよく見かけるどことない哀愁とはかけ離れた陰鬱さを帯びていた。おっちゃんの右手にはレース用の道具を収めたと思われる安物のスーツケースが握られていた。三人はおっちゃんが自分たちのところにやってくるまで待つことにした。

「どうしちゃったんだい。オンルウィンのおっちゃん！　なんでそんな悲しそうなツラしてるんだよ。具合でも悪いのかい」

「いいや、わしはだいじょうぶだ。どこも痛いところはない」

「ふさぎこんでるように見えるけど。なあ、オンルウィンのおっちゃん。俺、みんなに言いふらしてきたんだ。競歩でおっちゃんがどんなにすごいチャンピオンになるかってことをさ。きっとおっちゃんが勝つにきまっているって」
「わしは勝たないよ。確実なことはたくさんある。そのひとつが、わしは勝たないって
ことさ」
「胴元たちはおっちゃんを狙ってたぜ」この種のことにかけてはほかの二人より詳しい
エルウィンが言った。
「おまえとか胴元の野郎たちゃ」オンルウィンは穏やかな侮蔑の眼差しでエルウィンを
見つめて言った。「知りたきゃ教えてやるが、全部シンライス・ムーアのためなんだ」
「シンライス！　あの足を引きずったやつか」
「ああ、足がちょっと悪い。そいつの息子のことなんだ。二日前、やつはわしに会いに
来た。これまで見たことないくらい深い悲しみに沈んでるみたいだった。わしが悲しそ
うな人間を見るとどうなっちまうか、わかるだろう」
「オンルウィンのおっちゃん、あんたまたバカなまねを」シルヴァヌスは辛辣な不快感
を隠さずに言った。「悲しい顔のやつがやって来たら、耳を貸さないに越したことはない
ぜ。だけどいったいなんでシンライス・ムーアの言うことなんかに耳を貸したんだよ。や

つはメドウ・プロスペクトでは大嘘つきでとおっているのに」

「シンライスは生きている。生きてる人間は変わる。シンライスにだって真実ってものをよくよく理解するときが来るかもしれん」

「じゃあ、わかったよ。あんたがうまくやる気がないんなら、そりゃああんたの責任さ。おっちゃん、あんたどうしようもないくらい憐れんでばかりいる。あんた、悲しんでるやつを見たら撫でさする道化だよ。それがあんたの問題なんだ」

「やつはわしんところへ来て、奥さんのエルヴィラ・ムーアのことを語って聞かせた。奥さんは長いこと病気で、強壮剤にお金がたくさんかかるそうだ。薬局からの請求書を見ると、社会保険の金なんて微々たるものだってシンライスは言っていた。それでやつはまとまった金を稼ぎたいと思ったわけだ。それにあいつにはマルドウィンっていう名の幼い息子がいる。この子はじつにいいソプラノの声をしていて、その子が『エルサレム、エルサレム』のような歌を歌うものなら、聴衆は宗教的熱狂で気も狂わんばかりになり、聖戦軍に加わって旅立ちたいという気持ちになるそうだ」

「そのマルドウィンって子の声は聞いたことがある」ヴァーダンが言った。じっさいのところ、ヴァーダンはマルドウィンが歌を歌っているところを聞いたことはなかった。ただただオンルウィンの無分別なまでの同情の気分を削ぎたいという一心で話した。「どうも臭いな。その子の歌声はカエルみたいだぜ。オンルウィンのおっちゃん、シンライスはあんたといるとひどいお調子者だ。つねづねやつは大ボラばかり吹いているが、ひとつだけ本当のことを言う。干されないようにするためさ。だがこの話、あんたが相手だったんで、遠慮会釈なくとことんやったようだぜ」

「子どもたちは変わる。そのマルドウィンも今では、ヒバリのように歌うかもしれない。それでだ。ロンドンに暮らすおじっていうのが、自分の住む地区でウェールズ人の子どもを求めていて、ソプラノのいい口があるとシンライスに言ってきた。有権者たちはロンドンのその地区で大もうけをしていて、酒が入って感傷的になると子どもたちの歌声を聞きたがるらしい。ところがこのマルドウィンの格好ったらない。ボロボロだ。この子は尻で坂を滑り降りるのが大好きで、人が出会いざま「やあ」と言う間もなく、ズボンの尻の布地を擦り切らしてしまう。だからシンライスは十分なお金を得たら、息子をロンドンに送るつもりだ。そこで息子にひと財産作ってもらおうという算段だ。それにロンドンはこことちがって平坦だから、尻の当て布にお金を使うっていう生活とも永久におさらばってわけさ。そういうわけでやつをレースで勝たせてやるようにと説得されたのさ」

「なんて図々しいんだ！　はっきり言うよ、オンルウィンのおっちゃん、あんたバカすぎる。あんた韋駄天のジートーの話をはじめて読んだとき、興奮のあまり涙を流し震えてたのを忘れちまったのかい。そしてこう言ったじゃないか。ジートーこそケルト民族の守護人になるべき男だったと。というのもサクソン民族と石炭王が頭皮やら利潤やら戦利品を掻き集めにはるばるやってきたとき、ジートーなら連中に逃げ足の速さと侮蔑を嫌というほど見せつけられたのにと、あんた、そう言ったんだ。それにこれまでの苦労をどぶに捨てるって言うのかい。ジートーの馬糞の秘策を試そうとベッドをこしらえるために、あちこちの石炭小屋から不要となって出てくる半端な木材にありつこうと、通りで待ちつづけたあの苦労さえ忘れてしまう気なのかい」

「はっきり言うと、おっちゃんはこのムーアの野郎にすっかり騙されてしまったのさ」ヴァーダンが言った。「みんな言ってるよ。このムーアの野郎は根っからの嘘つきなんで、どうして足を悪くしたのか尋ねても、二度と同じ答えが返ってきたことなんかないって」

「この辺りじゃわしが最強の競歩選手であることをやつは知っている。昔、カーマーゼンに住んでいた人物から話を聞いてたんだ。わしがそっちでも閃光のように歩き、技術でもスタミナでもほかのライバルたちを寄せつけなかったことをさ。それでやつはこう言ったんだ。「俺を出し抜き賞金を掻っさらうだけの知識と技術をもつ者がいるとすりゃ、オンルウィン・エヴァンズにきまっている」って」

「だけどやつにどうして言ってやらなかったんだい。エルヴィラに強壮剤、マルドウィンにロンドンの有権者の前で歌うためにズボンがいるように、おっちゃんにもガーデニング道具がいるんだって」

「わしの入用といっても身勝手なものだ。わしだって道具も欲しければ、畑も欲しい。肥沃な土をじかに触れてみたい。だがシンライスが欲しているのは、自分のためのものじゃない。他人のためのものなんだ。やつの話を聞いていて、わしは自分のことが少し恥ずかしくなったよ」

「そんなら、おっちゃんはこのいかさま師のためになにをしてやるって言ったんだい」

「わしはやつに勝利の秘策を全部教えてやるって言ったんだ。一昨晩だったか、わしは二時間かけて両足をぐにゃりと曲げてスタートする特別なわざをやつに特訓してやった。なんといってもわしはこの技を使って、ロード・レースでわしに勝負を挑んでくる西部諸州のありとあらゆる選手をコケにしてきたんだからな。最初シンライスは結び目を五重に固くした紐を解くときのように、わけがわからなくなった。どんなに勝つ気満々にしても、やつはズブの素人だし足には問題も抱えているんだから、無理もない。だがわしが六回繰り返してやつのわからないところを解きほぐし、何度でも励ましてやると、やつもコツをつかみはじめた。それで今じゃ、大きな変わりようさ。通りでちょっと足を止めて、やつに話しかけてみたらわかるだろう。やつはわざをマスターしたことを見せたいばかりに、途端に身体を曲げたかと思うと、魚雷のように一目散に歩きはじめるぞ。あのシンライスの野郎、足にいろいろ問題はあるけど、今じゃ器用に歩けるんだ」

「もちろん、そうだろうね。〈ザ・ドッグ〉辺りの長屋で見かける野郎のなかでも、あのシンライスほどひどいインチキ野郎はいないしね。毎週なにか企んで盗みを働き、家賃は払いもしない。足が悪いのだって人をかついでいるだけかもしれない。悪いふりして人を騙し、おっちゃんのように心根の優しい人たちからお涙を頂戴しているのさ。エリヴィラって名の奥さんもマルドウィンという名の息子も本当にいるかどうか、わかりゃしない」

「そりゃまちがいない。わしはじっさい会ったんだから。二人はシンライスが言ったとおりの状態だった。エルヴィラは幽霊のように顔色が悪く、いつも鍋から肉片をこすり取っている。それにマルドウィンは甲高い声でものを言うし、ズボンの尻は布を当ててないんで猫のように丸裸さ」

「ほかにはやつになにを教えたんだい。まさかジートーの伝統の秘訣を教えてやったとは言わないでくれよ。年はとってても身体をぐにゃぐにゃにする方法だとか、いつでも身体をほぼ半分に曲げる方法だとか、そういった類いのことさ。ああした秘訣を覚えたことで、おっちゃんはこれまでどんなに慰められた気持ちになれたか、わかってるだろう」

「最初は言うつもりなどなかったんだ。だがなあ、シルヴァヌス。本当のところ、やつのことがとても可哀想に思えてきたんだ。なにせ歩くたびに足やら腕やらがひどく軋むような音を立てるんだからな。わしの指示も大声を張り上げないとやつには聞こえないほどだ。だから、もし仮にジートーが長生きして、このシンライスの関節を静かにさせることができれば、ジートーは生まれてきた甲斐があったとわしは思った。それで昨晩、わしはあの箱のベッドをやつに使わせてやり、あいつはそんななかで眠った」

「あーあ、おっちゃんがやつにしてあげたことがそれで全部ならいいんだけどな。オンルウィンのおっちゃん、あんたはうまくいきっこないよ。あんたは抜け目なさとは無縁だし、無情にもなれない。あんたは奥の手さえ無駄にしてしまう。死ぬまで、ほかの有権者の足拭きマットを務めるのさ。シンライス・ムーアのような野郎に出し抜かれつづけてね」

「わしはあいつにグリップ一式も使わせるつもりだ」

「そりゃダメだ、ぜったい。マウス・グリップだって。なあ、あれこそおっちゃんの作った最高傑作じゃないか」

「やつが勝つつもりなら、グリップはどうしても必要になる。勝利を確信させてくれるものがこの世にあるとするなら、それはあのグリップだ。あれさえ使っていればいい気分になり、もはや世界中を手中に収めたのだから、どこに放り出そうかとまで思えてくる。足の曲げ方を教え、馬糞の秘儀を明かしておいて、わしの持ち回り品のなかでも一級品のグリップを出し惜しみしたんじゃ、血も涙もないと言われてもしかたない。もちろん貸したさ」

そのとき四人はハーグリーヴズが選手に向かって、早く中に入って、スタートできる格好に着替えるよう大声で指示しているのを耳にした。ハーグリーヴズはスターターで、ピストルを手にもったまま腕をぶらぶら揺らしていた。もうかなりお酒が入っていて、意地悪そうに見えた。このおやじの仲間たちが彼の背後から近づいてきた。参加者のなかにはかなり年かさの者もいた。というのも参加条件が四十歳以上だったからだ。もう着替えを済ませた参加者もいて、ヴァーダンとシルヴァヌスは彼らの齢を経てしわだらけの手足、せいぜい耐えられるといってハーグリーヴズのピストルの音が関の山の弱り切った状態の参加者たちを見ていると、シンライス・ムーアに丸め込まれたオンルウィンのおっちゃんの禁欲的な態度にますます苛立ってきた。〈リトル・アーク〉の狭い通路では、ハーグリーヴズ夫人が何人かの参加者にビールをふるまっていた。

「シンライスはどこにいるんだ」ヴァーダンが尋ねた。

「ああ、やつはじきに来るさ。覚えたての身軽でバネのような歩きぶりで、すぐやつだと見分けがつくさ。まる一晩、馬糞箱の、あのジートーの棺のなかにいると、バネのように軽やかな気分になるから、もうすぐにでも宙に浮いてしまうんじゃないかって思えてしかたなくなるのさ。そうすると喜びが身体中に湧き上がってきて、ますます身体はしなやかさを増してくるから、地面から離れないようにしっかりと足を踏みしめなきゃならなくなるのさ。あのジートーは魔法使いマーリンの息子だったに違いねえ」

四十代半ばの男が横丁の角に姿を現した。もじゃもじゃの濃い赤毛でふだんの状態なら表情も穏やかでにこやかだったと思えるが、このときはちがっていた。見た目は穏やかともにこやかとも程遠かった。表情には惨めさが刻み込まれていて、じつにゆっくりと歩いていた。まるで身体と相談せずには痛みで一挙手一投足もままならないといった感じであった。「この死にかけた野郎はシンライスの双子の兄弟か、そうじゃなければやつはジートーとわしとで教えた指示を無視したにちがいない」オンルウィンは言った。

「ひっでえありさまだ」シルヴァヌス嬉しそうに言った。「こりゃあどうも、ガーデニング道具をおっちゃんが欲しかろうがそうでなかろうが、手に入ってきそうな風向きだな。そうだろ、オンルウィンのおっちゃん。シンライスのあの状態を見ると、あいつがライバルたちを打ち負かすなんてことはありそうもないぜ。例の箱のなかというより箱に押しつぶされて寝てたみたいじゃないか」

「いやいや、グリップを口に装着しさえすれば、生まれ変わったみたいになるさ」オンルウィンは頑強に言った。

〈リトル・アーク〉の庭の壁に組み込まれた低い石のタイルのうえに、シンライスは腰を下ろしていた。オンルウィンを見つけると、彼はぎこちない素ぶりで右手を挙げたが、明らかに今にも不機嫌な非難のことばを浴びせかねない雰囲気だった。それでも彼は分別を保ち、絶望だと言わんばかりにただただ大きなため息をついていた。シンライスの顔からはいつもの狡猾さは消え、精神的にまいってしまっていることは、その目と口の変化を見れば一目瞭然だった。「なあ知ってるだろ、オンルウィン」彼はことば少なに言った。「うちのエルヴィラはたくさんの問題を抱えている。なかでもひどいのがあいつの神経だ」

「ああそうだな、シンライス。マルドウィンが奥さんの背後から歌いながら近づいてきたときも、奥さん、震えてたな。覚えてるだろう。わしはその震えを止めてやろうと思って、自然療法師の「治療家」マシュー・カニーから特別大きな箱に入ったタツナミソウを入手して、おまえに渡してやったじゃないか。だけど、エルヴィラの神経症とおまえの片足引きずった力のない歩きぶりとなんの関係があるんだい」

「あの箱だよ、ジートーの棺だっけな、えーい名前なんてどうでもいいがな」シンライスは苦々しく言った。またもや見るからに自分の不機嫌さをなんとか心のうちに収めようと葛藤している口調だった。「あんた、おれにそんなかで寝るように言ったよなあ。そうすりゃ箱の癒しの効果が身体中の関節に働いて、癒しと回復をもたらすとか言って。その話を最初に聞いたとき、あんた長年独り身で、自分だけの畑や羊のことばかり夢見てたもんだから調子っぱずれになって、完全にいかれてしまったと思ったよ。だが俺はおまえの言うとおりした。ほんとうの気持ちを言うと、「左翼かぶれの」ナボス・ジェンクスや市民菜園組合の連中に、あの箱いっぱいの最良品種を台無しにしている連中におまえを引き渡したかったたんだがな。だけどそんとき、あんたの顔は賢そうだし、優しさも溢れてたんで、俺は黙って聞いたんだ。あんたがあの箱に施した棺のかたちも気に入らなかったが、それも我慢して家に持って帰ったんだ。そしてエルヴィラとガキどもが寝つくまで、家の裏手の小屋にしまっておいた。みんな寝静まってからおれは箱をキッチンに運び入れた。そのあいだじゅうおれは、箱がなんて不吉ななりをしてるんだとずっと思ってたし、なんであんたがもっと家庭向けで気色悪くない型にできなかったのか訝しく思ったさ。その代物を暖炉の前に置いたとき、おれは馬糞と死の思いにがんじがらめになって、少しも落ち着かなかった。暖炉を選んだのも、汚らしいとはいえ寝心地だけは良くしたいと心に決めたからさ。さて俺が言ったとおり、エルヴィラには神経の病がある。発作が起きたら長いのなんの。ここメドウ・プロスペクト一長い発作だ。発作がはじまるとまず引きつけを起こす。ついで悪夢を見はじめる。かあちゃんは自分の夢は予知夢だとよく言うんだ。かあちゃんの夢には続けて賢者の輝く瞳がたくさん現れ、来週かあちゃんに会い、先週にはウィンクして別れ、今日は冷たい指が不吉にも向けられていたといった話を寝起きに聞かされたら、洒落にならないぜ。数日前もかあちゃんは俺の続き物の夢を見て、俺が馬に蹴られて死ぬって言うんだ。夢のなかでかあちゃんは俺の死ぬ現場を見ていて、俺があいつになにも遺せず死ぬことは別の話として、俺がこの俺より貧相な馬で、俺の価値の埋め合わせもできない馬に蹴られ死んだというのに、かあちゃんは言うんだ、俺の死に様がきれいだったと。そしてかあちゃんの夢のなかで俺は板のようにじっと動かず、冬のように青白く横たわってたらしいんだが、かあちゃんその光景を堪能したって言うんだ。ともかくも箱のなかに身を落ち着け、ごそごそしたり、あんたやあの愚かなモーロク爺いのジートーを呪いながら一時間も過ごしたら、どうやら眠り込んでしまった。すると二階のエルヴィラがふと目を覚まし、俺が隣にいないことに気づいたんだ。それでかあちゃんは不安になった。というのも、まあ俺にはいろいろダメなところはあるが、ベッドで寝ることにかけちゃ、三度の飯より好きなぐらいさ。だから政府からの使いっ走りが俺の疑いと悩みの日々は終わりだと俺に伝えたいときは、どこに行けばいいかすぐにわかるだろうよ。それほどベッドで寝るのが好きだからさ、夜、俺はエルヴィラの隣にいないことはないんだ。かあちゃんは空気中にかすかな匂いを感じた。それははじめて嗅ぐような匂いではなかったけど、家のなかで嗅ぐことはめったにないような匂いだった。馬の匂い！　かあちゃんはピンと来た。これであいつの引きつけがはじまった。今やあいつの全神経が活発に反応しはじめ、チャペルの聖歌隊が大声で歌う「ハレルヤ」の大合唱に昇りつめた。というのも、このときかあちゃんは俺が馬の蹄からこの匂いをまとい、そのまま平たくのされてしまう夢のことを思い出したからだ。それでかあちゃんは怖くなって、ロウソクに明かりを灯し、用心しながら階段を降りていった。そしてキッチンのドアを開けたのさ。なあオンルウィン・エヴァンズよ。ひとつ質問だ。もしあんたがまだ死にたくはないと思っているとして、毎晩死人が横たわっている夢ばかり見ているときだとしよう。そんなときにエルヴィラが見たのと同じものをあんたがみたらどうするね。俺が手足伸ばして寝てるんだぜ。棺のような箱のなかで、いや棺よりひどいや。なにせ生《なま》の排泄物の層のうえに横たわっているんだからな」「わしだったら、なにをさておいてもロウソクを消すね」オンルウィンはできるだけシンライスの身になって目下の問題を考えようと心を砕いていたので、なんでも助けになるぞっというような口ぶりだった。「わしならそうするさ。そうすりゃ、あんたの姿をできるだけ見ないですむ」

「あんたならそうするだけの分別があるだろうよ。だがエルヴィラはほとんど正気を失いかけていた。かあちゃんは発作的に大音声で笑いはじめ、その声の大きさといったら、プロスペクトの牧場でこれまでだれも聞いたことがないくらいすさまじかった。一九一〇年に最低賃金闘争があったとき、あの火のついたように激昂した「炎の男」オグリー・フロイドの頭に警棒が振り下ろされてそれが三つに折れた直後の五秒後、オグリーが人類の全真実を知ったときに発した大音声にも匹敵するくらいだった。俺は箱のなかで立ち上がったまま、わめいて説明するしかなかった。身体をやわらかくしているだけで、それ以外に他意はないから深読みはするなと、後生だから甲高い声で叫ぶのはよしてくれ、やめないと州議会雇われの救急隊員、あの「薄給男」パリーがうちにやってきて、狂った人間を連行していくはめになるぞと言ったんだ。ちょうどそのとき、テフィオン・ファーがうちに飛び込んできた。こいつは長屋の二戸先に住んでいるおせっかいなカエル野郎で、周りの詮索ばかりしているやつだ。ココマットのふさを片耳に詰め込んでは、もう片耳を床にくっつけて、なにか厄介事の足音が近づいてきてないか耳を澄ましてるような野郎さ。テフィオンはうちの台所での騒ぎを見つけると、待ってました、これがずっと見たかったんだと思った。この野郎は、俺とかあちゃんとがなにか悪魔の所業でもやっていたと判断した。というのもここの有権者が汚れを取ろうと石鹸泡まみれにもならずに、キッチンに素っ裸で立っているなんていう光景にお目にかかることはまずなかったからだ。間の悪いことに、テフィオンはカルヴァン派で、人間は元来卑しくよこしまだと考えていた。野郎は俺を引っつかむと、キッチン中、俺を小突き周った。人生でもう二度とは御免蒙るくらいひどい仕打ちさ。まるで俺がドラムで、やつはそれを使って、カルヴァンさんにメッセージを送ろうとしてるみたいに殴った。俺がコテンパンに殴られている音を聞いて、エルヴィラは正気を取り戻した。そしてまる一分間、俺は半殺しの目に遭っているっていうのに、ファーの素早く敏捷な打撃をうっとりと見てやがった。そして俺とファーの野郎が箱の周りを十回回っているのを見て、箱のことを思い出した。そしてガキたちを呼び、屋外に運ばせて、燃しちまった。うちの裏には大勢の有権者たちが集まって来ていて、燃え上がる炎を見て、俺たちがなんらかの祝祭か休戦を祝っているんだと思っていた。こんなふうにして、あんたの箱はお陀仏よ」

「かわいそうなわしのジートー！」

「なんであんな変態爺いに同情するんだい。もうあっちに逝っちまってるし、俺たちと同じくらいにのろのろするのに慣れているころだぜ。なあオンルウィン、まだ生きていて、いつも悩んでる人間のことに心を砕いたらどうなんだ」

「わしよりもジートーにとっては、これでよかったんだ」

「なんでだ」

「あんたのようなヘマな厄介者と付き合わなくてよかったからさ」

「厄介者たぁだれのことだ。すべてのはじまりはあんたの忌々しい棺じゃねえか。それに俺はテフィオン・ファーの荒療治で、まだ身体中痛むんだぜ。だから死んでたのが半分だけ蘇生したような感覚だ。これで、今まで以上になにがあっても俺に賞を取らせなきゃならないという心境だろうよ。俺としちゃ、こんな痛みを抱えてどうやったらライバルたちに勝つことができるか見当もつかないけどな。オンルウィン、あんたが競技で優勝して、おれに賞金を渡すっていうのはどうだい」

「いや、それは公正なやり方じゃない。わしは人が給金とか報酬とかをもらうにふさわしいことを成し遂げるのが見たいんだ。わしは根っからのマルクス主義者じゃないが、坑夫図書館兼会館の討論会で話している若造たちとは行動を共にするつもりだ」

「エルヴィラがあの箱の一件で受けたショックで、ますますひどくなったことを忘れるなよ。それにマルドゥインの歌声がロンドンの有権者たちの耳目を集めた暁には、あんたにこの賞金の五倍の額の金を返すことになるんだ」

「オンルウィンのおっちゃん、なあ、こんなヤツもう放っておけよ」ヴァーダンがオンルウィンに言った。「このシンライスって野郎はあんたのことバカにしてるんだぜ」

「さあ、並ぶ時間だ、ハリス〔シンライスのファースト・ネーム〕」オンルウィンは言った。入場した連中の姿、全部見てみろよ。あいつらの顔から判断して、かなり痛めつけられてきた人生だ。だからスタート一分後にまだ棄権しないでいられるとすると、お互いおんぶし合いっこせにゃならんだろうよ。それに忘れるなよ。なんといってもあんたにはわしのグリップがある。なあそうだろ。あんたひとたびグリップを口に咥えれば、身体の傷のこともヘマしたこともすっかり忘れちまうさ。あれさえあれば、わしたちのような人間にもっとも欠けてるもの、つまり勝とうとする強い気持ちと意志が湧き上がるさ。それにグリップの力を借りれば、ジートーの箱を正しく使ったあとのように、身体はしなやかになり速く歩けるはずだ」

「ぜったいやつは石炭代をケチろうとして箱を薪に使ったにちがいないんだ」とエルウィンが言った。その目は毅然としていて、シンライスへの敵意が剥き出しであった。

「ちがいないや」ヴァーダンは言った。「それに誓って言うが、テフィオン・ファーとかいうやつの名前なんて数分前まで聞いたこともなかったぜ。シンライス・ムーアが口を開くと、真実《トゥルース》も支えの脱腸帯《トラース》〔真実（Truth）と桁構え／脱腸帯（Truss）とのことば遊び〕を注文することになる」

「小利口なガキども、今度はおまえたち三人の番だ。さっさと行け」とシンライスは言った。

シンライスとオンルウィンは〈アーク〉の奥の間へ姿を消した。すると二分後にオンルウィンはランニングシャツと異様に長い白い股引に着替えて、また姿を現した。三人はこの異様な風体にあっけにとられたが、幼いころからこれでも短すぎるとか、履いてないにひとしいと思うように教え込まれていた。オンルウィンの表情は厳粛な責任感からか硬く、彼の長い股引との絶妙な組み合わせからか、エルウィンは大声で吹き出さずにはいられなかった。ヴァーダンは腕で彼の横腹を小突いた。

「ねえ、ごめん、ごめん」エルウィンは言った。「オンルウィンのおっちゃん、カッコいいよ。本当に言うことなしさ」

オンルウィンの股引と同じくらい長い股引を履いているが、とてもレースに耐えられそうもない肢体をしたかなり年配の選手が、友人に連れられ〈アーク〉の通路から姿を現した。二人は少しよろけながら歩いていたが、股引の男もめそめそ泣いていた。彼らは入り口付近の石のベンチに腰を下ろした。少年たちはこの男の額に一文字に長く刻まれた傷があることに気づいた。

「あいつはイーノック・ヴィザード」オンルウィンは言った。「傷のある方の男がイーノックだ。それにやつの友人のルーサー・ミッチェル。イーノックがレースのようなイベントに興味があるとは知らなかったなあ。やあルーサー、イーノックはどうかしたのか。なにか困ってるみたいだが」

「やつは意地さえ張らなきゃ、だいじょうぶさ」ルーサーは答えた。「あいつがこのレースに出ると心を決めたから、俺たちはここに来たんだ。ほんとに強情な野郎さ。強情であるだけでじゅうぶんダメだが、年二回の年金で暮らす頑固者は本当に見てられないぜ。

イーノックが額を割る前はどんなに強い男だったか知ってるだろう」

「ああ、覚えているよ」オンルウィンは言った。「あの剛健ぶりは、まさにメドウ・プロスペクトの誇りだったよ。あいつが次になにを持ち上げられるか、だれも予想できないほどだった。あの大恐慌のときでさえ、なんとかやっていけたここじゃ数少ない男の一人だった」

「俺たちはちょっと前に着替えをしようとここに来た。するとイーノックはランニング用の股引に履き替えようとズボンを脱ぎながら、自分の足の細さに愕然として、とても悲しくなっちまったんだ。彼は言うんだ。もちろん就寝時やなんやでズボンは脱ぐんで、こんな足を見るのは初めてじゃない。だが足がこんなにも萎びていたとは知らなかったと。〈アーク〉の奥の間といえば、ここメドウ・プロスペクト中のどんな寝室よりも明るく、真実を明るみに出す。だから言ったんだ。なにぬかす、もちろん俺たちだれだって萎れるんだと。それだけでなく、縮み衰える宿命を歌ったあの有名な賛美歌をとてもわかりやすいように口ずさんでやった。またこうもつけ加えた。屋根が落ちたときおまえは頭にあんな直撃を受けたのに、死んじまわなかったことをありがたく思わなきゃいけないよとな。そしてこう促した。さあ一杯やろうじゃないか。萎れるとか歳だとか、明るすぎる部屋でズボンを脱ぐだとかバカげたことは忘れてしまいなと。そうして俺たちは呑みはじめた。そこにあんたが来たってわけさ。ハーグリーヴズがあの立派なピストルをぶっ放すときには、俺たちゃイーノックが正しいコースを行くように背中をひと押ししなきゃなるまい。さもないと誓って言うが、あいつ、全然違う町に着いちまうだろうよ」

少年たち三人は身を寄せ合い、イーノック・ヴィザードが股引の脚のところをなんどもずり上げ、みずからの手足のやせ衰え染みだらけになった薄い皮膚をこすっては、咽び泣くのをじっと見ていた。

シンライスが出て来た。彼はヴィザードやオンルウィンが履いているブカブカの股引とくらべると、エレガントに裁断され、肌にも密着した白い股引を身に着けていた。だが彼のアンダーシャツは真紅の型が崩れた代物で、それを着ている人がいて、切り取られないように必死に抗っているところを無理やり切り取ってきたという印象を与えた。シンライスは自意識過剰でなにか隠し事をしているような雰囲気だった。そして、オンルウィンにたいして、さあ最後の指示を出してくれとでも言わんばかりに、ずるそうに彼を少し小突いた。それにたいしてオンルウィンはシンライスをまったく無視していた。オンルウィンの方は、イーノック・ヴィザードをただただ見つめていた。

「わしがイーノックのためにちょっとした勝利をお膳立てしたら、それは善いことじゃないかな」オンルウィンは言った。「あの可哀想な男は絶望に半分食われちまってる。確かにわしは長いこと、さんざん苦労してきたが、この有権者みたいに頭のうえに一トンもの岩が落ちてきたなんて経験はまだしていないし、わしの肌も下手くそなお針子がちょうど縫い合わせたばかりのようなあいつの肌よりましだ。もしやつがメドウ・プロスペクトで最強の競歩者ということになれば、やつもずいぶんと立ち直ることだろうよ」

「そりゃ無理だ」ルーサー・ミッチェルは言った。「その可能性はゼロだね。オンルウィン、おまえさんの申し出には本当に心から感謝するよ。だけどイーノックがちょっとでも速く歩き始めると、すぐにひどい頭痛に襲われ眩暈《めまい》を起こしちまう。いったんあいつがその状態になっちまうと、流れ星の方が地面に近く、扱いやすいって感じるほどだよ」

「おまえさんの申し出には本当に心から感謝するよ」とシンライスがルーサーとオンル

ウィンのあいだに頭をぐいっと入れてきて、皮肉たっぷりに言った。「全員優勝っていかないのは残念なもんだ。そうしたらオンルウィンよ、あんたはハッピーだろう。カーネギーとクロース〔共にアメリカで成功した実業家。後者は初めてサンタ・クロースに扮して慈善活動を行ったことで有名〕と足して半分に割ったようなもんだ。あんた、本心そうなりたいんだろ。なあ後生だから教えてくれよう。あのグリップの隠し技っていったんなんなんだい」

シンライス、オンルウィンそれに少年三人は陰謀でも図るように〈リトル・アーク〉の角から離れた場所に移動した。オンルウィンは自分のケースから大きくて粗く削られた物体、すなわち一対のグリップを取り出した。シンライスは目を丸くしてそれを見た。

「おい冗談だろ、俺はいったい身体のどこにそんなもんを着けるんだい」

「尻込みするな、シン。口だよ、口」

「そのでかい代物を頭にくくりつけるにはどうすんだ。どんな留め具がいるんだい。こりゃなにかの悪い冗談だろ、なあ、オンルウィン」

「冗談なんかじゃないさ。これをしっかり口のなかに入れるんだ。そうすりゃ、ほかのライバルたちがみんなぜいぜいと息を切らし、肺が鉄でできてりゃいいのにとぼやいているとき、深く楽に呼吸ができるようになるんだ」

「だけどよ、この大きさはないぜ。対の片方、いやその半分の大きさで俺の口は一杯になっちまう。おまえさん、長年あのジートーのことばかり考えていたんで、頭がおかしくなっちまったんだ。それにこれは人には言ったことはなかったが、俺の口は大のおとなにしてはやけに小さいんだ。ムーア家は一族みんな唇も薄く繊細なんだ」

「この大きさがあってはじめて特別な効能があるんだ。だからわしはあえてこの大きさに設計した。いったん咥えてしまえば、噛みつづけるだけで忙しいから、苦しくて身体が悲鳴を上げても気にもならないさ。社会保険をもらいはじめて四年目の年、一度こんなことがあった。わしはグリップを咥えつづけるのに忙しくて、死んでしまいたいという強い衝動でさえ忘れることができたんだ」

「そんなもん咥えてたら身体は麻痺しちまって、どんな身体の欲求もわかんなくなってしまうさ。なあ、ちょっと、ちょっと待ってくれ」シンライスはオンルウィンのすぐ耳元まで近づいた。その目は細くなり、鼻の穴は広がった。明らかに彼はズル賢い頭を回転させ、とてつもないことを思いついていた。オンルウィンは長い股引の格好のまま、顔を赤らめ、ほんの少し身震いした。

オンルウィンはそんなに薄着だったので、シンライスのように内側からぎらぎら熱くなっている姿を見たくはなかった。

「さあ、あんたしだいだぜ」シンライスは俄然声を大きくして言った。「これでやっとあんたのトリックは全部飲み込めた。オンルウィン、あんたがこんなに頭がいいとは思ってなかったぜ。だが俺には幸運なことに、最後の最後であんたがどんだけインチキ野郎かがわかったよ」

「気でもふれたのか、シンライス。なあ、考え直せ。おまえさんの考えは尋常じゃないほどひねくれてるぞ」

「あんたこそ蛇蝎《だかつ》のように悪どいぜ。今となっちゃ、あんたの策略はよくわかる。一等最初にあんたは、俺がレースで唯一あんたを打ち負かす可能性があると見て取った。というのもあんた、俺が自覚している以上に俺には競歩選手にふさわしい資質があることを見抜いたからさ。それであんたは最初から、どんな手段を使っても俺をレースから締め出さなきゃならないと心に決めたんだろ。あんた言ったなあ。足の悪いシンライス・ムーア相手じゃ、このオンルウィン・エヴァンズは恐れる必要なしだって。俺があんたんところに助力を請いにやって来たとき、あんた、餌食が自分の手のうちに転がってきたんで、きっと神様に感謝したにちがいねえよ。これで取引所の列であんたが俺の隣になるときはいつでも、目立たないよう俺のつま先を踏み砕く好機をじっとうかがう必要がなくなったからな」

シンライスは目をギラつかせながら、ここで話をいったん切り、初めてオンルウィンに会ったときのことを反芻した。そのときのことが今になって初めて、シンライスにとって重要になったのは明らかである。オンルウィンと少年三人は彼の話の展開に興をそそられて、その話をもっと楽しもうと腰を下ろした。

「まず、あのスタート技の突拍子もない動作を仕込まれた。俺はそのときすでに十分警戒すべきだったんだが、悩み事やら貧乏暮らしやらで目が眩んだんだ。言われるままに、俺はトカゲのように身体をいろんな風にくねらせた。そのあと、身体を真っ直ぐにすると同時に飛び出すよう、あんたは指示した。これはここら辺りの丘にいる破産者たちに、シンライス・ムーアと野宿しないかとあからさまに誘うようなものじゃないか。違うかい。おまえら文無しども、家賃なんざ撤廃だ。シンライスんとこにゃ、屋敷がいくつもある。もしそこでも狭いって思うんなら、オンルウィンにウィンクすりゃいい。シンライスがアヒルぐらい完璧に背を縮こまらせて歩いているのは、この野郎の指図だ。だがこれはうまくいかなかった。そこで今度は、あの棺を急ごしらえして、あのジートーとかいう男の話をたくさんして俺をいい気分にさせた。なにせジートーはあんたのことばではケルト人の鑑なんだからな。というのもこの男、ものすごい韋駄天だったんで、このメドウ・プロスペクトで幸せやら定職やら手に入れることができたという話だ。今だから俺は、あんたがあの箱でなにを企んでいたかよくわかるぜ。まずエルヴィラがその箱のなかに入っている俺の姿を見て、気が変になるにちがいない。そしたらエルヴィラは正気を失ってるんだから、忍び込んで、金具で箱に蓋をし、俺は永遠に箱んなかさ。犯行はエルヴィラのせいにすればいい。あんた、なんて狡猾で、抜け目のないソーセージ爺いなんだ。そうならなくても俺は異様なマットレスのうえで、べったりと仰向けになっているせいで、精神に異常をきたしてただろう。それも海軍がボイラーに重油を使うようになって以来、それに俺ん家の食卓にブリキ缶の牛乳が乗るようになって以来、初めて見るような異常なマットレスにだぜ。だがいずれにしろ、その企みもうまくいかなかった。隣の近所で救急隊員をやってる善人中の善人、テフィオン・ファーのことを念頭に置いてなかったからさ。やつはけっして非番を取ることなく、カルトゥームの全反乱が運命の尻に押し潰されてしまい、反乱者全員が松葉杖やら止血帯やら遺言やら求めてギャーギャー言うのを待ち焦がれているんだ。それであんたは第三の手段に打って出た。今度のはいろんな変わった代物を俺に渡すっていう粋で友情あふれる手段だった。これには俺も驚いた。大人のバカでかい象すら窒息させるぐらいの大きなゴム製品二個だ。であんた、それを口に咥えろときた」ここまで喋ると、シンライスは怒りと落胆で震えていた。「なあ、おっちゃん」シルヴァヌスは実のおじに言った。「おっちゃんのアドバイスとグリップはイーノック・ヴィザードにあげなよ。あの人のほうがおっちゃんを蛇蝎だとかインチキ野郎だとか言うやつよりはましだよ」

「まあ、ちょっと待て」オンルウィンは言った。「シンライスにそんなに辛く当たらなくてもいいだろう。あいつは奥さんのことが心配なんだ。それにあんなにぴちぴちの身体の線が露わになる股引とやつの婆さんの下着から噛み取ったようなランニングシャツでここに姿を現さなきゃならんので、とても緊張してたんだ。なあシンライス、落ち着いて言ってくれ。おまえはこのレースに勝ちたいのか、勝ちたくないのか」

「もちろん勝ちたいにきまってるだろう。俺が言っちまったことは無視してくれてかまわん。半分裸みたいな格好でここに入場してきたんで、びくびくどきどきしちまったんだ。それでごろつき爺いに物を言うかのような口ぶりになっちまった。なあオンルウィン、どうしたらいいのか教えてくれよ」

街角では、ハーグリーヴズは選手たちを招集しているところだった。オンルウィンはシンライスにもう一度、一対のグリップを見せて、シンライスはもう一度、仰天した。彼の表情は見覚えのある不信と恐怖とのふたつの陰影に彩られていた。

「一生のお願いだよ、オンニル。それを使わない手はないもんだろうか」

「グリップを使わないのなら優勝は保証できない。わしはスピードと忍耐力、それにあの俊足で捉えどころのないジートーのことを長年かけて研究してきたんだ。だから文句言っても無駄だ」

「ならわかったよ。それで俺の口を塞ぐがいいさ」シンライスは少年たちに背を向けた。するとオンルウィンは彼がゴム装置を装着するのを手伝ってやった。

「こいつは口の前の方、もう一個はもうちょっと後ろの方だ。しっかりと咥えこんだら、無我夢中の気分になってくる」

少年たちは好奇心いっぱいにさてどうなるのかと思いながら、オンルウィンの処置が完了したあとの効果とシンライスの苦しそうな引きつりを見つめていた。三人のなかでヴァーダンだけはオンルウィンがグリップを正しく装着しているところを見た経験があった。なのでシンライスが振り返ったとき、そいつの顔がどんなにひどく歪んでいても、それを落ち着いて見るだけの心構えが、ほかの二人にくらべたらできていた。そのヴァーダンでさえ、今シンライスの顔に浮かび上がったアンコウと狂犬〔原文では"devil-fish"と"hell-hound"で、いずれも地獄を連想させる〕とを掛け合わせたような表情を目にすると、度肝を抜かれてしまった。その口は痛々しいまでに大きく開き、顎をきつく下に引っ張ったせいか、怒りが込み上げてきているのか目は飛び出さんばかりであった。じっさいシンライスは激しい非難の長広舌をオンルウィンにまくし立てていたのだが、それを聞いている者には彼の言うことはさっぱりわからず、天に向かってオンルウィンを賞賛している も同然であった。少年たちとオンルウィンはシンライスをスタート地点に連れて行った。ハーグリーヴズはまたもやピストルを振り回しながら、シンライスをまじまじと見つめた。

「この男はきちんとスタートできるのかい」彼はオンルウィンに尋ねた。

「あんたよりちゃんとしたスタートが切れるとも」

「大釘の上にでも座ってしまった直後のような顔をしてるぞ」

「その大釘とやらが見えてなければ、ルール上なにも問題なかろうて」

シンライスはオンルウィンとイーノック・ヴィザードに挟まれて、スタートを構えた。イーノックは徐々に酔いと悲しみから回復しつつあり、感情の昂まりが収まってきているのをわかってか、時おり涙を拭ってはかすかな唸り声を出していた。彼が腕を下ろして、周囲を見回したとき、最初に目に飛び込んできたのはシンライスの顔だった。それはメドウ・プロスペクトでまだだれも見たことがないほど面の皮が引っ張られていて、こらえようと必死に努力しているせいか、どんどん暗い顔になっていった。イーノックはスタートラインを飛び出し、この場からすぐに避難しようと〈アーク〉の通路へ一目散に走った。だがすぐに彼はルーサー・ミッチェルに引きずり戻され、ルーサーの説明を聞くことになった。その説明によると、シンライスは陽の反射の関係で変に見えるだけであって、あんな窒息死寸前の男がこのレースに出る平均的な例だとすると、イーノックの勝利はまちがいない、曲がり角のたびに一定時間泣きじゃくっても余裕で勝てるというのだ。

ハーグリーヴズはピストルの具合を確かめていた。シンライスは身体の奥底から苦しそうな音をがーがー吐き出しながら、身体を前方に屈めた。オンルウィンは弾丸のようなスタートには不可欠の脚のひねり方について、彼に指示を与えていた。今やシンライスは犬のようにクンクン鳴き声を出していて、最大の難局に差しかかっていた。身体の内側から湧き上がるノイズにばかり気が取られていたものだから、オンルウィンが脚の曲げ方についてなにを指示しても、いっこうに理解できずにいた。ぴちっとした股引姿のシンライスの背中も、顔の表情同様、腫れ物にさわるときのような気難しさと緊張が漲っていた。ヴァーダンはこの奇跡の表裏両面を十全に体験しようとするかのように、彼の前と後ろとを行ったり来たりしていた。ハーグリーヴズのピストルがけたたましい音を立てて火を放つと、シンライスの極限状態にあった理性はもう歯止めが効かず、彼は死ぬほど怯えてしまった。身体をブルブル大きく震わせながら、地面にパタンと倒れ込み、これ幸いに死んだように失神してしまった。彼は失神する間際、呪うような短い一瞥をオンルウィンに投げかけたが、それで万事休すであった。彼の大きく伸びた腕が別の選手の足をつまずかせてしまったが、その犠牲者とは四十代半ばのまじめな男、サミュエル・ハウエルズだった。ハウエルズも地面にぐしゃりと倒れ、そのまま動かなくなった。怪我をしたわけではなかったが、シンライス同様もはや立ち上がる気力がなかったからである。少年三人はこのドタバタを見ていたが、エルウィンがヴァーダンにこう言った。

「選手の多くはわけありさ。家族がもう一回余分に〈ザ・ドッグ〉とかいう映画館かどこかの娯楽場に行く金が欲しいと言い出したばっかりに、レースに無理やり出さされてるんだ。そこのハウエルズが地面に倒れたまま、起き上がって競技に戻ろうとしないさまを見てみろよ。大丈夫なのに警戒しっぱなしのあの表情が事情を物語ってるぜ」

それ以外の選手たちは無事スタートを切った。スタートのときから、勝ち目のある選手は二人しかいないことは明らかだった。オンルウィンとイーノック・ヴィザードの二人である。イーノックの方にはどこか破れかぶれの激しさという原動力があるように見えた。まるでこれが最後の挑戦になるのなら、少なくともしまいには途方もなく遠いところに行けるだろうと考えている節があった。オンルウィンの方は相手の後方を一定の距離を保ったまま歩こうと最初から計画していた。二人は肩と腕を大きく不恰好に揺らしながら歩いたものだから、舗道を半ば走るようについてきたヴァーダンの目を直撃し、ヴァーダンはとても縁起が悪いと思い、不愉快な気分になった。少年たちはオンルウィンにスパートをかけるようにと促し、ハーグリーヴズは〈アーク〉でイーノックが飲んでたものに魔法の液体を一滴注いだかもしれないぞと脅しさえした。

「あいつに勝たせてやるんだ」オンルウィンは言った。「あいつを打ち負かす気持ちにはなれない。正直、とても無理だ。これに勝てば、あいつの萎んでいる頭を飾るなにがしかの栄冠になるかもしれない」オンルウィンはそう言うと、そんな話に無頓着なイーノックに向かって叫びはじめた。少しスピードを落として、楽にしろ。あんたは頭に爆弾を抱えてるんだ、用心しろ。それにあんたもわしの大事な友だちなんだし、今日のレースが終われば、股引が一、二インチ長く、ふつうの競技者の呼吸より喘ぐことの少ない「白い閃光」とはオンルウィンじゃなくイーノック・ヴィザードのことを指すようなるんだからなと。

スタートから八分後、イーノックは突然、朦朧とした状態に陥った。顔色は死人のように青白くなり、片手で頭を押さえるとふらふら歩きはじめた。オンルウィンと少年たちは哀れみと励ましとが入り混じった声援をはじめた。「さあ、しっかりしろ、イーノック！　そんなにもがかなくていいんだ、ヴィザード」

それまで玄関先に腰を下ろし、なんとはなしにレースを眺めていた観衆は、半裸の格好をして異様な速さで歩く有権者の姿を目の当たりにしても、長い大恐慌の症状のひとつぐらいにしか考えていなかったのだが、事態がこうなると立ち上がり、ヴィザードの熱意と苦痛がどこからきているのかにわかに興味を持ちはじめた。イーノックはこれ以上人がよろめくことができるだろうかと思えるぐらい、ぐらりぐらり揺れながら歩いていた。オンルウィンはもてるかぎりの力を貸して、彼をなんとか立たせ、前に進ませ、レースをつづけさせようとしていた。それは生半可なことではなかった。というのもイーノックの動作はラグビー・ボールのようにまったく無軌道で、予想がつかなかったからだ。オンルウィンはイーノックの背後にぴたりとつけ、彼が前のめりに倒れそうになればその身体を支え、正規ルートから外れそうになればその身体を引き戻した。混乱したイーノックはドアがもう閉まらなくなっていた長屋の家々にも迷い込んだ。なぜそんなことになったかと言うと、ドアのラインとドア支柱のラインとが平行でなくなったか、ぴたっと閉められなかから隠れて凝視しているような感じは、この町のコミュニティ意識を冷ましてしまうか、そのどちらかだった。それもそのはず、町の労働環境を考えれば、たいていの有権者たちの血圧は下がり、物事を真剣に考えなくなっていたのだから仕方がない。オンルウィンがイーノックを救い出そうとして、やむをえず屋内の階段の上り口まで入ったことが二度、あった。その二度とも、イーノックは最悪の状態で、しきりにコースから直角に外れていき、わざとそうしているのかと思えた。二度目に同じ状態になったときには、二人にとってとても気まずい経験となった。というのもイーノックは完全に人事不省となり、ゴロンウィ・ブレイミー家の開けっ放しのドアのなかに入り込んでしまったからだ。このゴロンウィという男、粗野で嫉妬深い凶暴な男で、妻がいろいろな場面で浮気をしているという妄想に取り憑かれていた。奥さんの名前はグロリア・ブレイミーと言い、かつてメドウ・プロスペクトの〈ザ・コージー〉という映画館で案内嬢をやっていた女で、目敏いことで評判だった。しかもこの映画館には、町中の男たちが性的衝動の中心部を車庫入れ〔原文では“garage”。車を整備工場に出すことを意味する〕しにやってきていた。レースの日の午後、ゴロンウィは午前中から憲政クラブで振替休日を祝って二、三杯飲んだあと、鬱屈していた疑惑の咎でグロリアを責め立てはじめ、彼女に平手打ちの嵐を浴びせながらキッチンから追い立てては、また追い込んだりを繰り返していた。こうなるときまっていつもの暴力のパターンで、口論と暴力が定期的に最高潮に達するとグロリアは食料庫へと後退りし、二人は暴力の合間に棚から食べ物をひとつかみしては空腹を満たすことになる。そんなときのゴロンウィはまるでオセローそのものなのだが、オセローと違って小柄で口も達者ではなく、複雑なところはまるでなかった。こんな夫婦喧嘩があっても、グロリアは晩ごはんにフィッシュ・アンド・チップスを作り、これにビールが付けばゴロンウィにとって言うことなしなので、彼のムードは和らぎ、もの狂おしい方の気分が嵩じてくる。そうして二人はもう待てないといった感じで、階段をテンポ良く上がっていくのだ。間の悪いことに、イーノックとオンルウィンが姿を現したのはちょうどそのときだった。ゴロンウィは口元をほころばせ、矯正器も外れかけたままキッチンから出てきた。手には二階のグロリアのために入れた紅茶を持っていた。そのグロリアは夫から約束を取り付け、金輪際バカなまねはしないようにする、発情した男たちが入れ替わり立ち替わり家を出入りするなどといった狂おしい妄想は二度と起こさないと誓わせたばかりだった。キッチンから出てきたゴロンウィが目にしたのは、木綿の布切れを数切れ身にまとっただけの見るからに裸の男たちだった。そいつらがすさまじいスピードで表のドアから入ってきて、階段を一目散に目指したのである。まるで階上に集結地点があるかのような勢いでだ。

「そうか、これが俺の知らぬところで行われてたゲームなんだな!」ゴロンウィはわめいた。「この畜生ども、服すら満足に身に着けちゃいない」そう言うとゴロンウィは強引にイーノックの進路に割り込むと、その頭に強く一発見舞わせた。あいだに入ったオンルウィンの頭にも、もう一発見舞わせた。だがゴロンウィはオンルウィンを標的に選ばなかった。というのもヴィザードが死んでしまったとき、思う存分に扱う品として彼を取り置きしておきたかったからである。この惨劇に終止符を打ったのはヴァーダンで、彼はゴロンウィの肘を引っ張り、彼にこう告げたのだった。「兄貴、二階が火事だぜ」これを聞くと、ゴロンウィは期待と恐怖とを両翼に着けたような顔をして、二階へと飛ぶように消えていった。

オンルウィンと少年たちはイーノックをふたたび通りへと戻した。しかしブレイミーとのこの一件で、彼の平衡感覚は完全に使い物にならなくなり、今度は身体の左側に大きく倒れかかるように歩きはじめた。当然、左隣りのオンルウィンは厄介な荷物を背負い込むはめになった。前方左手に急勾配の坂が見えてきた。イーノックはこの坂をおりが落ちるような勢いで下って行き、彼が坂を下り切ったちょうどそのとき、坂の上り口にたまたま停車したバスにすっぽり乗り込んでしまった。するとバスの車掌は平静を装おうとして、出発進行のベルを鳴らした。オンルウィンはイーノックの後を追いかけ、彼を取り戻そうとしたが、少年たちに止められた。

「だがな、あいつはこの後どうしたらいいんだ」オンルウィンは尋ねた。「あのコスチュームでいるんだから、バス代の小銭ひとつ身につけちゃいまい。それに今のあいつの状態を考えると、あんな格好してクミキャスゴッドかどこかその辺り行きのバスに乗り込んできて、なんのつもりかって尋ねられても満足に説明できないにきまっている。たとえ身振り手振りを使っても、伝わりゃしない」

「心配いらないよ」ヴァーダンが言った。「バスの車掌は俺の従兄弟のモーライス・モーガンで、バス会社についちゃ寛大な考えをもっていて、イーノックのように自分がどこに行くつもりか、なにをしてるのかわからない連中にはとても思いやりがあるんだ。オンルウィンのおっちゃん、人のことはいいから自分のことを考えなよ。レースは足の速い者のためにあるんだ。おっちゃん、あんたはもう何年もこのチャンスを待ってきたんじゃないか、人にあんたの本当の実力を見せつけるチャンスをね。オンルウィンのおっちゃん、今日という日はあんたのためにあるんだ。待ちぼうけの歳月もようやく終わったってジートーに叫ぶはずじゃなかったのかい。ムーアのような大嘘つきやヴィザードのような狂人なんざ、勝手にドブにでも落ちてろって思やいいんだ。おっちゃんはなんでいつも不幸や憐れみを一手にしょいこんで、みずから進んで泥沼に入っていかなきゃならないんだい。さあ、俺たちもうホームストレッチにかかったぜ。〈アーク〉に通じる新しいバイパスだ。ハーグリーヴズが賞金片手に待ってるぜ。おっちゃん、その金でガーデニング道具と畑を買うんだろ。そうなりゃ、おっちゃんの新しい生活がはじまること間違いなしだ。それにおっちゃんが外れのない作物と家畜を育てれば、商いの手も広げられる。そうなりゃ、俺たちにも新しい生活が待っているかもしれないんだ」

オンルウィンの表情は、まるで魂から重荷が降ろされたかのように明るくなった。

「坊主、おまえの言うとおりだ。わしはジートーには借りがある。ジートーはわしにとっちゃ、親父みたいなもんだ。あの人のためにもわしのためにも、ここで大声を出して人生を少し振り回し、不運の嵐がわしのうえに降りかかるのをやめさせなきゃなるまい」

新しいバイパスに入ったオンルウィンがみごとなことこの上ないラスト・スパートをかけたとき、もう一人ライバルの選手の姿が目に入った。するとこの選手はオンルウィンのラストの踏ん張りを見るや、レースには二等賞はないのはわかっていたので、たちまちレースを諦めてしまった。オンルウィンがゴールテープを切ったとき、〈アーク〉のドア辺りにできていた興奮気味の人だかりからなんの祝福の声も上がらなかった。ヴァーダンはシンライスがこの人だかりの中心にいるのに気づいた。彼の顔は上気し、消耗し切っていた。それはまるで長い演説をたった今終えたかのようであった。

「わしが一番だ」オンルウィンは控え目に呟いた。

「一番だと」ハーグリーヴズは叫んだ。「あんたが一番、そりゃ当然だろうな。俺はあんたも知るどんなスポーツにも目はない方だが、今日ここで見たもの以上に汚い手口に出会えたためしはない。それにエヴァンズさんよ、あんたのような悪党に二度とお目にかかるのも御免だ」

オンルウィンは一切抗議しなかった。ただ片膝をついて、〈アーク〉の軒先にまだ残っていたわずかばかりの芝生のうえで膝頭を休ませていた。

「つづけろよ」彼は言った。その口ぶりは、まるでハーグリーヴズが一芝居打っているかのように興味深げであった。

「ムーアが全部話してくれた。スタート時に脚をひねくり曲げる離れ技。俺もこの目でしかと見たが、『ニューズ・オブ・ザ・ワールド』〔当時、毎日曜日に発行されていたタブロイド紙〕にきっと取材されるだろうよ。あの哀れな男が脚をSの字に曲げるところを俺は見た。そんときあんたは、あいつに上からのしかかるような格好で、脚に四つ目のこぶを作るよう言い、苦痛で朦朧としていたムーアをおだてて、もう少し力を込めるよう言い募っていたな。ひどすぎるぜ。それにムーアの話によると、あんたの指示で、特に縮ませた股引を履かされたんで、あんな物を着けてレースに出ようもんなら、最初の一ヤードであいつの金タマはダメになってただろうよ。それから棺を使った悪ふざけだ。異教徒じゃあるまいし、身体をぐにゃぐにゃにするために馬糞のうえに横になる輩の話なんか聞いたこともない。メドウ・プロスペクトで万事がたるんでるのも無理はないよ。エヴァンズさんよ、あんたみたいな人間がキリスト教徒を悩ませてるんだからな。だが最悪だったのが、あのグリップだ。あんな器具、馬の歯医者んところでしかお目にかかったことがないぜ。それに俺が見た歯医者は大型の馬専門だった。ムーアを用意周到に窒息死させようという寸法だ。俺はここの連中とあんたの悪行について話し合って、決めたところだ。あんたを警察に引き渡すことはやめとくが、賞金はムーアにやるのが最善だってな」

「わかったよ」オンルウィンは言った。「賞金はシンライスにやれよ。あいつにはいろんな入用がある」

シンライスは歓喜した。そして〈アーク〉へ駆け込んだ。彼が着替えを済ませて通りに戻ってきたとき、手には賞金が握られていた。

「今晩はあんたらにビール、おごるぜ」彼は言った。「今宵はシンライスのものだ」

「エルヴィラの強壮剤のことを忘れるなよ」オンルウィンは言った。

「家内は今ごろうちでテフィオン・ファーにマッサージをしてもらってるさ。あいつはすごい腕前だ」

「マルドウィンのズボン、尻んとこが破けてること覚えてるだろうな。あんなざまじゃ歌えないぞ」

「あのクソ坊主なんてどうとでもなれってんだ。あいつの尻は剥き出しのままの方がいいんだ。それにどっちにしろ、俺はあいつに聴衆の正面を向いて歌うようしつけるからよ」

「一言だけ言ってもいいかい」エルウィンは穏やかな口調でオンルウィンに言った。

「ちょっとシンライスのやつを裏に連れていって、やつの頭のどっか一部を残念賞としておっちゃんにもってくるよ。どの部分ならおっちゃんは一番気に入るかなあ」

「ああエルウィン、気にすんな。そう申し出てくれただけで嬉しいや。だがシンライスはだいじょうぶだ。奴は覚えが悪いだけさ。それだけだ」

オンルウィンは着替えをしに、〈アーク〉にそっと入っていった。少年三人は通りに残り、シンライスと覚えということについて考えていた。それに「覚えが悪い」ということの意味について考えに耽っていた。少年たちがオンルウィンをあいだに挟んで一緒に帰途につこうとしたとき、〈アーク〉正面のドア辺りには先ほどの一団がまだ立っていて、笑いあったりシンライスに祝いのことばをかけたりしていた。その一団のところへヴァーダンは静かに戻ってきた。

「これだけは話すつもりじゃなかったんだけどさ」ヴァーダンは言った。「だけどもし万一、俺が忘れちまって、みんなが変に思いはじめたらいけないんで言っとくよ。オンルウィンのおっちゃんはレースの途中でイーノック・ヴィザードを始末しちまったんだぜ。おっちゃんには血も涙もない。オンルウィンてのはそういう人間さ」

一団が急に口をポカンと開けて黙り込むのを尻目に、ヴァーダンは満足気に踵《きびす》を返した。彼は仲間たちのところへ走って戻ると、そのまま坑夫図書館兼会館へと足を運んだ。そこではこの夕べ、図書館司書のサラシエル・カル、通称「凪の」カルが（というのもこの男は政治的には静観主義者で漸次進歩論の擁護者だったからだ）彼らに講話をする予定になっていた。その話題とは次のようなものだった。どうして世界中の追い込まれた人間は、こじんまりとした慣れ合いの群れにたむろしてしまうのだろうか。そして悪魔が自分たちの骨のずいまでしゃぶり尽くし、しまいに悪魔の歯もすっかり磨り減り、残るは歯茎ばかりとなっても、されるがままなのはどうしてなのか。

グウィン・トマス「あんたの入用」解題

山田雄三

グウィン・トマスの語り／騙り

一九三〇年代、四〇年代の南ウェールズといえば、世界恐慌の影響をまともに受けて、長期間にわたって経済が低迷し、労働者階級の暮らしはどん底にあった。なかでも最大の炭鉱地帯ロンザでは、三〇年代初めに人口の四〇パーセント以上の人びとが失業中であった。その時代と場所を当事者として生きた作家が、グウィン・トマス（Gwyn Thomas, 1913-81）である。彼は「スカラシップ・ボーイ（奨学金少年）」と呼ばれた戦後の新しい知識人であり、坑夫の家庭に生まれ、奨学金を得てオクスフォード大学とマドリッド大学に学んだエグザイル（離郷者）であった。一九四〇年に帰郷したトマスは、成人教育機関ＷＥＡ（Workers' Educational Association）や中学校の教壇に立ちながら小説を書き始める。

概して三〇年代と四〇年代の南ウェールズを舞台に書かれた多くの小説は、一人称単数の語り手によって物語が紡がれている。それとは対照的に、グウィン・トマスのもっとも初期の小説、『暗い哲学者たち（*The Dark Philosophers*, 1946）』、『ひとりぼっちからひとりぼっちに（*The Alone to the Alone*, 1947）』は、不況にあえぐ炭鉱町の若い失業者仲間が一人称複数の語り手になっている。これは偶然ではなく状況的な必然であった。仕事がないばかりか食べ物も居場所も、ちょっとした賭けごとをする小銭すらない若者たちは、道端にたむろしては、周囲の出来事を同じ目線で眺め、語っている。たとえば一九四六年に発表された短編小説『クリスの手（*The Hands of Chris*）』では、その一人称複数の語り手はフランコ政権やナチスを暇つぶしの話題にして、こう述べている。

俺たちゃ、これまで何度びんたされ、いびられ、だまされてきたことか。親父たちだってそうさ。だから、俺たちが世界を見て、それについてなにか言うとき、かっかと血が上ってくるんだ。

Gwyn Thomas: Selected Short Stories, ed. Michael Parnell (Bridgen: Seren Books, 1988), 37.

「あんたの入用」は三人称語りのかたちを取りながらも、三人の「そもそも分離できない個人」（"individual"の原義）が競歩レースという町の出来事を同じ目線で眺めている点で、トマスらしい一人称複数の物語と呼んでいいだろう。その三人の少年たち、シルヴァヌスとヴァーダンそれにエルウィンは、それぞれに気質やことば遣いに個性は残しつつも、オンルウィンのおっちゃんのレースの顛末に一様の態度を示している。そのどうしようもないお人よしぶりに呆れながらも、離れられないでいるのだ。物語のクライマックス。このオンルウィンのおっちゃんが人生で唯一輝く瞬間が到来するかにみえる。ところが、彼らには不本意な方向に事態は進展する。その際、この男だけの（ホモソーシャルな）絆の語りからヴァーダンの語りが逸脱する。「おっちゃんには血も涙もない。オンルウィンてのはそういう人間さ」。もちろんこの語りはオンルウィンの性格を偽っている（彼には血と涙が多すぎる）。それでもこのヴァーダンの語り／騙りに、他者への思い遣りを失っていく共同体と「そもそも自立している個人」（“individual”の今日的語義）の台頭にたいする最大限の抗議の声を聞き取ることは可能である。また原タイトルの“Thy Need”は、エリザベス朝期の詩人・フィリップ・シドニーがザトフェンの戦役で、瀕死の兵士にみずからの水筒を指し出した古事に由来する。つねに自分の入用を後回しにするオンルウィンのような個人へのオマージュにもなっている。

大恐慌のどん底を生きるコミュニティの「現実」を、そもそも分離できない少年たちの眼差しをとおして描き出すトマスのスタイルは突出している。『クリスの手』と同じように、トマスの語りの調子とリズム、ドタバタ風喜劇の筋立ては変わりゆくコミュニティを多面的に描き出している。一見、荒唐無稽なストーリーをトマスの語り手（たち）が語るとき、そこにはイングランドのリアリズム小説が届きえなかった「リアル」な共同体のありようが再現可能となるのである。

失われた釣り人

マージアッド・エヴァンズ

中井亜佐子＝訳

The Lost Fisherman

Margiad Evans

エミリは階段を駆け降りてきた。手にした紙きれをにらみつけながら。

「セロテープを買ってくる時間があるかもしれない」と彼女は呟《つぶや》いた。紙片を放り出し、通りを走った。通りは静かで暖かくて、空っぽだった。彼女のほかには、黒い服の女が玄関の呼び鈴を鳴らしているだけだった。巨大なクリの木よりはほんの少し背の低い家々の屋根の向こうで、教会の時計が五時を打った。教会の庭からは芝生の青い匂い、花びらを散らす木々の冷たさ、明るさ、静けさが、ひっそりと漂ってきた。

だけど市場の周りは、あの見知らぬ群衆に踏みにじられていて、その様子にこの小さな町の人びともずいぶんと慣れつつあった。頭に血がのぼって、混乱している人たち。不安を抱え、困惑の表情を浮かべ、旅館を探し、下宿を探し、どこか休めるところを探していた。旅行鞄を携えて石段に坐りこんでいる人もいた。食事をしている人もいれば、手を軽く握り合わせ、坂道を下った向こうに続く町が灰青色に窪んでいるのを見つめている人もいた。さらに多くの人たちがバス停に列をつくっていて、食堂はどこも人でいっぱいだった。上げ下げ窓のある事務所ではどこでも書類〔住居の賃貸契約書など〕に署名がされている最中で、まるで町の全住民が突如として刑務所に行くか、訴訟でも起こすかといったありさまだった。昨晩ロンドンでまた激しい空襲があったからで、三時の電車は四時半に到着した。エミリはセロテープを、ある田舎娘から買った。この娘は片目が見えず、父親のニワトリを世話するかわりに、ボタンを売っていた。娘は店のカウンターに、だらりと寄りかかっていた。

「疲れてるの？　あたしもよ」

ふたりは同じ学校に行った仲だった。

「ああ、信じられない」と娘は言い、肘の上に身を乗り出した。

「かわいそうな人たち――あんなに大勢。みんな今晩どこで寝るつもりかしら。あっちじゃすごいことになってるんでしょ。お姉さんは帰ってきたの？」

「まだよ。帰ってきてほしいのだけど。手紙を書いてるわ。おかあさんはすごく心配してる」

「そうでしょ。そりゃ、子どもがいたらたいへんよ……」

エミリはうなずいた。アニーと子どもたちはまだ生きているかしら、と思った。まだこの世に存在しているかしら。いま、この瞬間に死んでいるのかもしれない。いま、この一瞬にも——真実が顕《あら》われる瞬間は思い描けなかった。それは汚らわしくて、ぞっとするほど恐ろしいものだったけど、現実味がなかった。考えるということは、からだの病気、痛みをともなう病気であって、その病気で別の病気を克服しようとすることだった——考えないという病気を。注射を打ってもらいなさい——ご立派な宣伝文句〔戦時下のプロパガンダ〕に従うのよ。節約して、働いて、微笑みなさい。ポスターが言ってるとおりになさい。ロンドンは何度も何度も何度も空襲に遭っている。アニーと子どもたちはそこに住んでいる。パトリックは捕虜。イングランドはもうすぐ、ほんとにもうすぐ、侵略される。パトリック、パトリック。

彼女は店を出て、市役所の時計を見た。教会の鐘より遅れている、と気がついた。巨大なハサミみたいな針のふたつついた白い時計盤、だけど、わたしにとってなんの意味があるの？　これからはそこには、たったひとつの時間しかないんだわ。電報を手にしたとき、その時計を見つめていたから。戦争捕虜ですって。三時十五分前だった。おかしいわね。電報はどうやって、わたしの手のなかにやってきたのかしら？　けっして、はっきりとは思い出せない。そのとき母はいなかったので、彼女はこう感じたのだった。

「この喜びはわたしのじゃない。わたしは、伝えるだけ」

「寡婦」という言葉と「母なし子」という言葉はあるけど、息子を亡くした女の状態を表わすには、簡単な表現はなかった。子なし、というのは違う。たったひとりの息子を亡くした女は、息子を亡くす前よりもっと母になるからだ。母は子どもと一体だったころのように、ひっそりと、神秘に包まれていた。そのころと違うのは、今回は、息子の生と死をすべてその身に孕《はら》んでいたことだ——母は、息子の死の母だった。

エミリは公衆電話に行った。母の声がした。「なあに？」

「おかあさん、いい知らせよ。びっくりしないでね。パトリックは捕虜なの」

かすかに声がした。「エミリ……エミリ……」

いままた、市役所の時計が時を刻みはじめた。だけど、このごろはときどき、時計を見ると、いつだって悲しみに暮れる時間はあるものだと彼女は思った。そう、いつだって。振り返りながら独り言を呟いた。恋人に触れたり、住んでいるところの風景を眺めたり、眺めていることに気づいたりする時間はないけど、悲しみに暮れる時間はあった。坂を下って、彼女は混乱した人びとのなかに入っていった。戦争の臭いは、疲れてはてて足を腫らした群衆の臭いだった。死者の臭いではなくて、追い立てられ、つらい道《みち》程《のり》をよろよろと歩く、群衆の臭いだった。

窒息しそうな道をまっすぐ帰るのは避けて、彼女は細い脇道を駆け上がった。町でいちばん古い道のひとつだった。何年か前に、家屋がいくつか取り壊された。壁がまだ残っていて、野原から飛来した雑草、羽があって大地をわがものとする牧草、庭のないところに生えるイラクサが、壁龕《へきがん》に宿っていた。タンポポが花を咲かせて種をつけており、炎のような綿毛が散ったところでは、むき出しの芯がぴんと伸びていた。日光のなかで、壁の花はひそやかに、だけど強烈な匂いを放っていた。扉のない戸口からは、そよ風で囲いのなかから吹き出されたかのように、白い蝶が二匹、ひらひらと舞い出てきた。

五月だった。ああ、なんでそんなことがまだ気になるんだろう？　何をそんなに慌てていて、戦争が終わるまで、美しくなるのを待ってられないのかしら？　心のなかから人類というものを消してしまえるかしら——針を引っこ抜くみたいに。だけどエミリは立ち止まり、からだがふらついて、すり減ってひびの入った通りにいる、あの誰かの存在を意識していた——教会の庭の木々から、部屋の窓から見た丘の風景から、存在を感じさせるあの誰かだ。

彼女はたまたま立ち止まっただけだ。そしてたまたま、扉のない戸口を覗いただけ……。ガラクタの山、なめらかな土くれと雑草は、かつては誰かの庭だった。子どもが遊んだために擦り切れて光っていたけど、真ん中にはリラの木が植わっていて、その茂みは青みがかった灰色に褪せていて、暗がりに花びらを落としていた。ほらあそこ、旅行鞄の近くで揺り椅子に坐って、新聞を膝の上に広げて、男が眠っていた。すっかり意識がなかった。強健で無垢な顔に気負いはなく、人びとの恐ろしい臭気から遠く離れて、原っぱで少年が眠っているみたいで、エミリはしばらく男のそばで待っていたかった。彼を知っていたけど、名前はわからなかった。その場を離れながら、あの通りに住んでいるのかしら、と思った――彼の家はどこなのかしらと、知りたいわけではないのだけど、いつも不思議に思っていたのだ。それに、なぜ立ち止まったのだろう？　白い蝶々のせいかしら、彼の頭のなかから、わたしの手のなかへと飛び込んできたみたいだったから。

「アニーから連絡はあったの？」台所に駆け込みながら、彼女は尋ねた。

母は流し台でレタスを洗っていた。連絡はないと言った。

「おかあさん、わたし、今日《きょう》、あの釣り人を見たわ！」

「おや、そう。どこに住んでいるか知っているの？」

「いいえ、だって彼は眠っていたもの！」

「眠っていた？」母はぼんやり、ため息をついた。

「そうよ、〈聖者の小屋〉《セインツ・コテジーズ》のうちのひとつで、揺り椅子に坐っていたの」

「ふうん、居眠りするには妙なところね！　あの通りを歩く気はしないよ、臭いがひどくて」

「今日はガスの臭いはしなかったのよ。ああ、おかあさん――ガスといえば。ひどい一日だった。麻酔ガスでの抜歯が二件あってね、どっちもすさまじく暴れていたわ。かわいそうなジョーンズさん、きっと傷だらけになったと思うの」

「おやおや、あんたも疲れてるのね。坐って何かお食べ。大丈夫なの？」

エミリは臨時の仕事で歯医者の看護師兼受付をしていたが、器具の消毒と人を慰める以外には何の訓練も受けていなかった。「そうね、かなり疲れてるわ」と彼女は言った。「わたしは後ろに立っていたんだけど、ジョーンズさんは蹴られていたわ。そういえば、ママ、今晩アニーに電話しようと思うの」

エミリは二七歳で、ほんものの看護師が手術から回復したらすぐに、チェプスフォードの軍需工場で働くことになっていた。いまのところ、彼女は自分の仕事がそれなりに好きだった。一日が終わった後は、けっして仕事のことを考えることはなかった。そういう仕事なのだ。歯を扱うのって、なんだかばかげている、と彼女は思った。けれども、白いつなぎの服や消毒剤、予約帳には、だんだん慣れてきたところだった。

だけど――あの釣り人を見かけるなんて！　夕食を食べて洗い物を手伝っていると、今朝から起こったそれ以外のすべてのことは、醜くてつまらないように思えた。彼は、退屈でも恐ろしくもないような人生にふさわしかった。母が彼女の感情を見抜いたら、こう言っただろう。彼に恋しているの？　違う、違うの。そういうふうに、個人が問題なんじゃない。彼は何か――わたしが失くしてしまった何かなのだわ。そして、わたしはそれを取り戻したい。それは人生。少なくとも、わたしにとっては。おやおや、頭がおかしくなってきたのかしら、それとも、おかしいのは頭じゃなくてわたし？

エミリと母が住む家は、町のいちばん低地になっているところで、共同製粉所の近くだった。家は何世紀もそこにあって、石とネズミと石炭の臭いがしていて、香ばしい古い梁にはところどころ樹皮がまだ残っていた。町でいちばん古い家だと言われていた。通りに面した門扉には大きくてへこんだ真鍮の取っ手がついていた。取っ手を回して路地に入ると、まるで巨大な崖の下の陰地に出てきたかのようだった。日光はすべて、箱みたいな、石畳の小さな裏庭に降り注いでいたからだ。長くて狭い小径《こみち》のような路地は、繊細なツルクサの絡まった、建物と同じくらいに古い壁の脇を抜けて、広い庭地へと続いていた。隣りには普連土《ふれんど》派〔クエーカー教徒〕の墓地があり、墓地の真ん中には杉の木があった。この巨人はほとんど黒に近い褐色で、どんな日光の下でも死んだように見え、月の光の下でも日中でも同じように見えた。家はただの「一七番」でしかなかったけど、町の古株の住民には、いまは使われていない優しそうな名前、〈普連土《フレンド》の家〉として知られていた。

ふたりが早めの夕食をとった部屋は台所だった。清潔で、きちんと片づいていた。つやつやした褐色の家具のある静かな部屋で、夕焼けに照らされていた。裏庭に続く勝手口の戸と、庭の敷石のなかの井戸の蓋とは、開かれたままだった。エミリも母も、水が反射して繊細にきらめき、囲われた空間のなかで瞬《また》いているのを見るのが好きだったからだ。シダとツルクサの葉は微動だにしなかった。ハエが夕方の明かりを織りあげるかのようにぶんぶんと飛び、隣家のリンゴの木ではクロウタドリが呼び鳴きをしていた。

エミリは窓辺で揺れているカナリアを見た。物思いに沈みながら、石油ストーヴのある部屋の隅を見つめた。戦争が近づいているように思えたとき、石油ストーヴを動かさなきゃ、と母が言ったのを思い出した。どれほど笑ったことか！ けれども、戦争がほんとうにやってきたとき、ふたりはストーヴを動かしたのだった。窓辺にあると、雨戸が閉まらないからだった。いまでは、暗くなったらほんの一筋でも、紙の厚みほどの隙間からでも、光が洩れてはいけなかった。エミリは煉瓦の上に積まれた鉢植えのフクシャを眺めながら、灯火管制が始まる前には、闇のあちこちに照らし出された植物が散らばっていた様子を思い出していた。

洗い物をすませると、彼女は玄関側の部屋へ行って「町の窓」の近くに坐った。暗がりが好ましく、ちょっと違った雰囲気なのが嬉しかった。母は長椅子に横たわって、疲れた脚を高く上げてクッションの上に置いていた。母は新聞を読んでいたが、その顔は険しく青ざめていて、眉をひそめて不安そうにしていた。エミリは倉庫の後ろのクリの木と、澄んだ空を見上げた。クロウタドリが歌っているのが聞こえた。「天国の鳥《バード・オヴ・パラダイス》、天国の鳥《バード・オヴ・パラダイス》」と何度も何度も歌い、その後は甘く優しく、「おいで仲間よ《カム・バティ》、おいで仲間よ《カム・バティ》」と歌った。

とても小さな町だったので、小川のカモは町の端から端まで泳いでいった。カケスとキツツキがキーキー鳴きながら屋根の上を飛んでいったが、たぶん鳥たちには、屋根なんて大きな石の影法師にしか見えなかっただろう。風は家畜市場に干し草の種を撒き、どんなに雑然とした庭であっても、サンザシとリラの花の香りがした。どこへ行ってもその香りが嗅げた。そして川があり、銀がかった青色の丘があった。

五月だわ、すっかり五月、とエミリは思った。腕を窓枠にもたせ、からだはしなやかで心地よかった。切妻屋根の影が道に落ちて、太陽は薄青色の空に黄金を降り注いでいた。足音にはゆっくりした、鈍い音のこだまが続いた。だけど町のこの辺り、旅館もなくて、貧しい人たちのための下宿しかないくすんだところでは、あの丘の上の、宿探しに疲れはてた群衆はいなかった。

貧民街の子どもたちが遊ぶゲーム盤がチョークで舗道に殴り書きしてあり、女たちは近所の家々の戸口を見つめ、男たちはシャツ姿で煙草を吸っていた。人間たちも、木々も、夕刻の喜びに浸っていた。子どもたちは、垢にまみれた顔をしかめて、不機嫌そうなもじゃもじゃ髪は目にかかり、キーキー騒ぎながら肘を張ってゲーム盤の上にしゃがみ、猿みたいに手を膝においていた。

五月、五月、五月！　一年のなかで、すべてが完璧で若々しい、い、時！　彼女が子どもでフラン叔母さんのとこにいたときから、丘は同じだし、木も同じ根っこをもっていた。草はとても長くなってるはずだわ！　足先で草をかき分けると、冷たい露のせいで痛くなり、サンダルの留め金でシロツメクサの先端がパシッとはじけるのを感じた。白い雄ヤギが石のローラーにつながれているのが見えるようだった。あのローラーを動かすのに何頭の馬が必要だって、ドノヴァン叔父さんは言ってたかしら？　全部だわね――十頭いたわ。十頭の馬が、馬小屋に……。

母は立ち上がって出て行った。エミリはそのままぼんやりしていた。女たちが来て、子どもを連れていった。戸口は閉まり、大気はだんだん純粋で透明になっていき、まるで沈黙がそこから輝いているようだった。最後にエミリは、早朝に水浴したときに霧の下で滑らかに輝いていた川のことを考えた。こうしたことすべてが、どうして日ごとにとても近しくなってきて、なのにどうしてこんなにどうしようもなく哀しいのかしら？　ひとりの人が死ぬと、過去はつくりかえられる。ドノヴァン叔父さんは死んでしまった。愛していた人たちはみんな死んでしまった。若いときは、誰もが永遠を生きている。彼女の目が動き、そして、眠っている男を見たときの自分の感情を、彼女はいぶかしく思った。笑いそうになった。そうね、あの男に恋しているって言われるかもね。自分が誰かに恋しているというのが滑稽で可笑《おか》しかった。そんなことはありえない。それにあの釣り人は――他の人とは全然違っていた。ふたりの会話はさりげなくて、用心深いところなどなかった。初めて出会ったとはけっして思えなかった。実のところ、最初に交わした言葉は思い出せなかったのだけど、ふたりはけっして「出会った」ことはないのだった。動物や鳥が出会うことがないのと同じように。彼は——なんなのかしら？　魂のなかにある空気みたいなもの？　彼女のなかで膨らみつつある、たんなる気分以上の何か。「ねえ、アニーに電話しに行ってくれると嬉しいわ」と母が部屋を覗きこんだ。母の痩せた頬と首筋に血の気が走った。神経がひどい試練に耐えているのだと、エミリはわかった。彼女は飛び上がって、いますぐ行くわ、と言った。突然、震えがきた。上着を着なくてはならなかった。

ようやく静かになり、夕闇が深くなった。彼女は電話がつながるのを待って、長いあいだ坐っていた。文字入りの鏡は壁の影に沈んでいて、酒場の煙でくすんだ声が、厚みを増していた。突然、誰かが叫んだ。「あいつを片づけるって？　ユダヤ女にやっちまえ、それでポーランド野郎にも生きたやつを残しとけって言うんだな」だみ声の笑いが起こり、かすれ声が入り乱れ、またひとつの音になった。エミリは、脆そうな小さな藤のテーブルに寄りかかった。ツルツルする雑誌の、氷みたいに冷たい角《かど》っこが手に触れた。長く待たされているあいだ、心臓がどきどきして、目は扉の横の隅に引っ掛けられている電話に釘づけになっていた。

やがて人はいなくなった。通りでは、よろよろ歩く足音がしていた。家主がむき出しの腕をさすりながら、様子を見にやってきた。

「まだつながらないのかい?」

「まだです」

「明かりがほしいかい?」

彼女は首を横に振った。

「ここは寒いだろ」と家主は言って、自分の袖のボタンを留め、戸を閉めに出て行ったが、雨戸は開けたままだった。月の光が忍び込むように窓枠に落ちてきて、ピアノの鍵盤の上をゆっくり動く手のように見えた。微風に吹かれて、白いカーテンの端っこが身もだえするように動いた。

「空襲が続いているのだわ。電話を中止しよう」と彼女は独り言を呟いた。さらに五分経過した。家主が喫煙室に戻ってきた。彼は紙をくしゃくしゃにしながら、いらいらした様子で話して、それより大きな音でため息やあくびを漏らしていた。女が、とげとげしい声で言った。「こんな夜中に？」

「ロンドンにかけようとしてるんだ」

「おやまあ！　だけど、もう鍵をかけちゃったよ」

電話が鳴った。

「アニー？」

「そうよ、エミリ――電報は届いたかしら？」

「いいえ、何にも」

空気はなんて冷たくて、奇妙なのかしら！　それからこの、リノリウムの臭いのする古い雑誌ときたら――。

受話器は音を噴き出したが、すべて意味不明だった。ピューピュー、ゴロゴロ、ときおり深く共鳴しながら、乾いたポンプみたいな虚ろな音を鳴らした。

「明日よ、明日」と受話器は叫んだ。

「わかったわ」と彼女はどなった。「明日帰ってくるのね。空襲は続いているの？」

「半分も終わっちゃいないわ」アニーの声が、雑音のわずかな隙間をぴったり埋めた。

「まだそれほどじゃないけど、子どもたちを防空壕へ連れて行く準備をしなくきゃ。ほら、聞こえる？　ちくしょう、昨晩ほどひどくなきゃいいけど」

エミリは姉が子どもを呼んでいるのを聞いた。「わかった、いま行くわ」まるでお芝居の黒子が舞台のためにしゃべったみたいで、半音下がった、かすれた抑揚のない声だった。そして、姉は電話を切ったようだった。エミリは廊下に出て、支払い口の戸を叩いた。

「終わったのかい？」

「はい、ありがとうございました」

支払いをするとき、男は彼女を見た。彼は身をかがめ、手を伸ばして、そしてもう一度起き上がって、小さなグラスを差し出した。「さあさあ、お姉ちゃん、これをお飲み。告げ口したりしないだろ？」彼は目くばせしたが、顔は心配そうだった。「あっちじゃ、ひどいことになってる」

彼女は飲んだ。頬にさっと血の気が差し、壁に寄りかかった。酔ったからではなくて、一瞬、別のところに意識を集中させすぎて、からだが横にずり落ちそうになったからだ。大空が見えた。そして人間たちが胸の前で組んでいる、あの見えない無数の腕たちが、こちらに――こちらに伸びてきて――威嚇をしては、それを引っ込めるのだった。意志が大きく広がったような状態で、彼女は少しのあいだ立っていた。彼女の心は、からだの抵抗が巨大になったものみたいだった。それから外に出て、注意深く玄関扉を閉めた。

「エミリ、ずいぶん遅かったのね！　大丈夫だった？」

「ええ、おかあさん、完璧よ。アニーは明日帰ってくるわ」

「そう、それはよかった！」

母は紫のガウンを着ていて、首のところでそれを押さえていた。手にもっているオレンジみたいなかさのついた小さなランプの光の上から、目がじっと見つめていた。「何もなかったの？」

「いいえ、おかあさん」

「だけど、どうしてアニーは電報をよこさなかったの？」

「よこしたのよ。どうして届かなかったのかわからないわ。ちょっと外に出て、この引き出しを空にしてくるわね」

「夕方やっとけばよかったのにね。もう寝る時間よ。準備しといてよかったわ」

何日ものあいだ、ふたりはアニーと子どもたちを迎え入れようと話し合っていた。部屋は二階に大きな二部屋しかなく、焼夷弾が来るかもしれないので、母は、屋根裏は使おうとは考えなかった。母がアニーと真鍮の大きなベッドを共有し、二人の小さな娘たちはエミリの部屋を使うことにした。エミリは毎晩、フラン叔母さんの農場に泊まりにいく予定だった――農場は、町から一マイルほどの距離だった。川沿いを行く軽い散歩で、彼女は楽しみにしていた。おそらくは、フラン叔母さんの屋根の下に戻ることができるというので、一年ほどエル・ホールに住んだときのことが、子ども時代の記憶のなかでもとくに鮮明なものとなっていた。

電気は高額だった。ふたりの女は大きなランプを灯して、二階へ行った。ふたりともガウンを着て、柔らかい靴を履いて、隅から隅まで埃《ほこり》を払い、エミリは旅行鞄のうえにかがみこみ、母は何かをしようと計画しているかのように、ぼんやり壁を触っていた。

やっと母はソファーの端に腰を降ろし、傷だらけで静脈の浮き出た脚から、しなやかな靴下を巻きおろした。「ジェイミーのベビーベッドはそこがいいかしら?」と母はつぶやいた。そして起き上がって、洗面台を触った。

ふたりは洗面台を動かした。なぜだかふたりとも、その晩のうちにできるだけ、すべてを新しい位置に動かしてしまいたかった。

ふたりは穏やかに、静かに、真夜中の作業を続けた。ときおり床板が、灰緑色の絨毯の下で揺れ、煙突のなかでムクドリの雛がびっくりして動きまわった。しかし、ついにふたりともベッドに入った。灯火管制用の重たいセージグリーンの綾織のカーテンは、母が夜中に取りにいくものを思い出したときのために、彼女の部屋の窓に掛かったままになっていた。けれどもエミリは、自分の部屋のカーテンは開けた。その上げ下げ窓は庭に向いており、月にかかった雲が微かに虹色になっているのが見えた。ツルクサの葉があり、月と杉の木へと続く小径があった。彼女は庭に顔を向けて横になった。髪の毛はすべて頭の後ろにまとめてあって、重たい感じがしていた。両手は日中せわしなく何か触っていたために熱くなっていたが、ついに触るものもなく自由になった。

月が太陽の亡霊であるように、夜は昼の亡霊だった。そして、窓辺でゆらゆらたちこめる芳香は、亡霊のなかの亡霊のようで、退きも前に進みもせず、呼吸のように、ひらひらと前に出たり引っ込んだりするだけだった。

彼女は眠らなかった。目が、頭のなかにある夢を見たくなくて、閉じることを拒んでいた。飛行機がいくつか上を飛んで行き、まるで空の長い切片を縫い合わせているかのようだった。けれども飛行機が去ったら、夜の波打つ静けさはあい変わらず、木の葉にまとわりついていた。

防空壕のなかにアニーがいるのが見えはじめた。赤ん坊はアニーの膝の上、幼い少女たちは寝台のいちばん上にいて、涙を浮かべ、地獄をのぞき見ていた。大砲、爆弾、弾幕、そして、飛行機が真空に吸い込まれるキィーッという音。

彼女は突然起き上がり、頭を膝のあいだに突っこみ、驚くほど力のある細い腕で自分のからだを抱きしめた。「なんてこと！　ああ、眠るわけにはいかない。眠るとそっちに行っちゃうから……」

彼女はからだを揺り動かし、それから、自分の乾いた声に驚いて、こぶのように縮こまって動かなくなった。目が、しっかり働いて、すべてを見なくてはならないと感じてるみたいだった。何も見えなくて、彼女自身が、自分のからだのなかで、目に押しつぶされてしまった。

思いがけず、彼女は見た。見たのは、あの釣り人の平和な寝顔だった。防空壕の情景には驚いたけど、いま、彼女はふたたび横になって、顔を両手で覆った。両手はいわば、ひんやりした緑の芝生に縁どられた防空壕みたいだった。考えを解き放つことはできなくても、きちんと並べることはできるのだと、彼女は気づいた。

戸外に出ると、流れる空気、植物、水、風とともに、からだは世界の手触りと風合いになじむ。風の肉が自分の肉に絡みつき、草はうつぶせのからだを、開放感と親密さとで包みこむのだ。

川辺の牧場が見えた。土手の小さな赤い入り江が見え、そこでは芝が深い水たまりに落ち込んでいた。川の湾曲部、草を踏み分けてできた細い緑の小径も見えた。小径を横切るように、釣り竿が置いてあった。枯れて褐色の繊維になってしまった芝生が突き出ているところに、危なっかしく坐っていたのはひとりの男、両足をだらりとたれた榛《ハン》の木の枝で支えていた。三月のことだった。男はベルトつきのレインコートを着ていたが、スカーフは木にかけていた。彼女は男のほうに歩いていった。彼女が近づくと、男は顔を向けて静かに彼女を見た。そして突然、だけど突然ではないみたいに、ふたりは互いに話しかけていた。六週間前まではこうしたことがよくあったのだけど、印象に残っているのは最初の出会いだけだった。わかっていたのは、会ったことのある顔のなかで、こんな顔は初めてだということ。秘密めいているせいだ、率直さが秘密っぽさになりうるのならば。利巧そうだからかもしれないけど、その顔を見ると、けっしてそんなふうには見えないのだった。とても黒いきらきらした目、楕円形でオリーヴ色の頬と顎、なめらかな肌。ふたりは外見はまったく似ていなかったけれども、お互いに同じ光と影を、からだの表面に放出しているように感じた。彼女は歩き去りながら思った。「わたし、こんなふうに見えるかも。」数週間、いつも彼女がその方角に歩いていくと、その男に出会ったが、ある日、男はいなかった。ふたたび見かけたのは、あの廃屋《はいおく》の、雑草の茂った部屋のなかでだった。けれども彼女は、ふたりが即座に、完璧に、そして永遠に何かを理解したと確信していた。ふたりは友だちなのだ。そして、完璧にお互いをわかりあいながら、計り知れないほどに、それぞれが孤独だった。

彼女は自分の両手に微笑みかけた。そしてこのときは、みんなが絶望している最中にひとり笑い転げているかのようには感じなかった。釣り人とダイシャクシギについて話し、雄鳥が雌鳥を求めて呼び鳴きしながら、空を旋回していくさまを見ているように感じた。釣り人はいつも、彼自身ではなく、鳥や丘や川のことを考えさせた。彼が思い出させてくれるのは、自由や充足といったもののもつ、ほんものの意味の輝きだった。彼といっしょにいるとき、あるいは彼のことを考えているとき、彼女はふたたび、ほんもののエミリになった。かつてはよく、朝早く川を泳いで渡っていたエミリ。自由なエミリ、自分が育った田舎の和音《ハーモニー》を全身で吸収し、発散させている、ほんもののエミリだ。この恐ろしい春に、子ども時代のことにそれほどまでに思いをめぐらすのは、おそらく彼と話したからだった。

眠りは、彼女の開いた目のなかにたまった涙のようで、ぴりっと辛いが穏やかでもあった。彼女はそこに到達しつつあった。意識が揺らぎ、もはや独立した意識のある自己ではなくなった。部屋は、かつて彼女が寝ていたフラン叔母さんの衣類保管室になり、階段の下には焦茶色の戸棚があって、鈍い鉛色の窓もあった。窓は灰色と黒のモスリンの模様のようで、その陰から別の小枝の模様が見えた。あの分厚い窓から見ると、空がいかにきめの粗い手触りをしているように見えたか、思い出した。彼女は、フラン叔母さんが手に持っていたロウソクを見上げていた。ロウソクは光雲のなかを漂い、ちらちら瞬《またた》いていた……。そして、その部屋は消え去り、彼女は庭の椅子に坐っていて、銀の懐中刀でハシバミの実を割っているときの、叔母さんの指を見つめていた。ふたりはセコイアの木の下に坐っていて、空気には樹脂の臭いが充満していた。フラン叔母さんはこう言っていた。

「叔父さんとわたしはあなたがとっても好きよ。いつもいい子だからね」

夕方だった。子どもたちが大声をあげていた。西の牧草地にたくさんの光の飛沫《しぶき》がかかり、木々を輝かせていた。彼女が手を伸ばして草地から籠を持ち上げると、突然目が覚め、聞いたこともない爆音がしたのだとわかった。彼女が横たわっていた完璧な休息の場所が、音のない爆発によって崩れてしまったかのようだった。空襲警報だった。

母は、自分はふたたび若いのだと確信して、目を覚ました。夫は生きていた。夢のなかで夫はいっしょにいた。もう結婚していたのに、お互いを紹介されているところだった。目が覚めると、何かしゃべっていた。言葉の一部は自分の言葉になったが、一部は消えていた。

「昨晩は、窓辺に何もなくて、風がとっても寂しくて、早く寝てしまったのだわ。ピアノを弾いておしゃべりしていた時代から、ずいぶんと時が過ぎてしまったのね……」

そして、自分がしゃべっているのが聞こえた。「ベートーヴェン」

彼女は頭を上げた。「ベビーベッドはどこかしら？　ジェイミーはどこ？　かわいいジェイミーちゃん！　アニー！　子どもたちはどこ？」マッチを擦った。いまはすっかり目を覚ましていた。「エミリ、エミリ……」

彼女にはかろうじて、洗面台のあった部屋の隅《すみ》が空っぽなのが見えた。

エミリが入ってきた。「わたしには何も聞こえなかったけど、おかあさんには聞こえた？　またブリストルだと思う。それか、グロスターね」彼女は煙草を吸っており、眠気のためにぼんやりしていて、壁にもたれかかってからだを支えていた。

けれども、エミリがよろよろと大きなダブルベッドのところに来たとき、母はベッドから起きて足を床に降ろそうとしていた。そして、哀れな青白い肉塊がふらつきながら床に届こうとしているのを見て、けっして言い表したことのない惨めなきもちと怒りとが沸き上がり、心はからだをなんとか動かそうとしていた。

「起きないで、おかあさん」とエミリはせがんだ。「ここは大丈夫よ」

「橋を爆撃してなきゃいいけど」と母は言いはじめた。橋はとても近くて、ふたりが住んでいる通りの向こう側に線路が走っていた。この小さな町の年配の女の多くがそうであるように、エミリの母も本能的に、橋が爆撃の恰好の対象になりそうだと考えていた――そして、爆撃機が万一、チェプスフォードの偉大なる充填工場がどのあたりにあるかを発見したなら、そのとおり、爆撃されていたのかもしれなかった。弾薬輸送電車の唸るようなゆっくりとした轟音は、夜にはおなじみになっていた。「致命的ね」と母はよく呟いていて、壁が揺れたものだが、それはまるで、戦車や解体された飛行機が向きを変えながら狭い通りを通り過ぎるときに、市場の柱が揺れるみたいだった。

ふたりは耳をすました。顎を持ち上げ、首を伸ばして。あれは飛行機かしら？

「爆弾よ！」

ふたりは驚きのあまり沈黙し、顔を見合わせた。すると空から落ちてきたのは、ふたつの打楽器の音、ふたつの振動音が互いにぴったり合わさっていた。ジャンジャン――シンバルみたいに、音楽つきの雷みたいに。エミリはこれほど同時に、これほど違うふたつの音を聞いたことがなかった。その瞬間に空が奏でた音は、とても美しく、明瞭で、魅惑的だった。

ドシンという音はなかった。爆風もない。水銀がふたりのからだじゅうを駆け抜けた。沈黙のなかで、ふたりはハツカネズミが古い家の内壁を引き裂き、奥深い戸棚の戸袋のなかで押し合いへし合いしながら動き回り、探りまわっているのをにらみつけ、その音を聞いた。

「灯りを消して」と母は言った。

暗闇のなかで二分くらいが過ぎた。煙突から煤が落ち、炉格子のなかに降ってくるのが聞こえた。静寂は、幾千もの音を聴くという緊張状態なのであり、地下の暗闇にあるもの、意識あるものであるとともに、この大地に属する何かでもあった。

「窓の外を見てくるわ」とエミリは言った。ハングベリーの丘に火が燃えているのを見た。赤い火が、森へと這っていく。彼女はそれを見つめて、かつてその丘のヒースが燃えたとき、鳥やウサギやヘビがどれほど鳴き叫んだか、思い出していた。

爆弾が三つ落ちたのだと、ふたりは翌日聞いた。どんなにとんでもないことがあっても、どんなにとんでもない時間にでも、不思議とその場に居合わせる男がいるものだ。そんな男が、爆弾が森で爆発するのを見た様子を語っていた。彼が言うには、木々はもだえ苦しみ、アシェン光のような光が差して、彼が立っていた窪地はヘビのようにのたうった。彼はこの話を、市場の広場と駅の外と七軒のパブで語った。

よそ者のなかには、笑った者もあった。

「ああ、いまいましい！」と彼らは言った。「爆弾がこんなところに落ちるなんて！　じゃあ、次は何が起こるのかね？」

しかし、金持ちのなかには近所の工場のことを聞いて、すでに荷造りをしている者もあった。

エミリにとっては、爆弾の一件は、それでなくても多忙な一日をますます多忙にした。

彼女はそのことを考えようとはしなかった。天気は晴れていたけど、大気は何やら重苦しく、うんざりするような、たるんだような感じがあった。暖かくてざわついた通りには、牧場と花開いたクリの木の香りが、ゆるやかな煙のなかにまき散らされている焼けたエニシダやハリエニシダの臭いとともに漂っていた。彼女は忙しかった。たくさんの患者がやってきたが、今日の仕事には特別なところは何もなかった。そして、ジョーンズさんの温室に坐って昼食をとっているとき、そこは誰かが虫食いの台所用の椅子の脚のあいだに水の滴るホースを残していったようなところなのだけど、彼女の心は、叔母といっしょだったすばらしい一年のことを繰り返し思い出していた。ひとつずつ、好きだったものは失われていったけど、これだけは——あの場所の精神、さりげない美と喜びに自己を同一化すること——このことだけは、しばしの休眠ののちに、いままた、彼女の人生になりつつあったみたいだった。

ゼラニウムを植えた格子枠で囲われた温室の、青臭く熱い空気を彼女は吸いこんで、サンドイッチを食べ、フラン叔母さんを見ていた。叔母さんもときどき自分の温室のなかにいて、かがんで植物に鼻を近づけていて、彼女のあらゆる動作にはツルクサの香気がまといついていたけど、いちばん鮮やかに見えたのは、叔母さんが夏の夕方七時ごろ、寝室の窓辺にいるところだった。エミリは、叔母さんが鮮黄色に輝く野原の向こうの川の浅瀬に向かって、微笑んで手を振っているのを見た。浅瀬では、町の少年たちが裸で、燃えるような銀色の水のなかで星のようなしぶきを上げていた。「見て、見て。やっと夏だって言えるわね」と叔母さんは笑った。確かにそうだった。それ以来一度も、そんな夏はやってこなかったのだ。そこに叔母さんは坐っていて、エミリを呼んで、こっちに来て寝る前に髪を巻かせてちょうだいと言った。叔母さんはブラシを膝の上に持っていて、右手の指をぬるま湯のなかに浸して、それから髪の房をひとつひとつねじって布切れのなかにまとめた。エミリは、頭皮が軽くけだるくひっぱられ、選ばれた髪の束がフラン叔母さんの親指と人差し指のあいだを滑りぬけていくのを感じた。声を出して読んでいた本は、化粧台の上に、銀器や古い黄色い櫛といっしょに開いたまま置いてあった――『赤い鹿の物語』〔ジョン・ウィリアム・フォーテスキュー作の児童書、一八九七年初版刊行〕……。

「ほら、できたよ! おやすみなさい。ベッドに入ったらわたしに歌を歌ってね」

「何を歌ってあげたらいい?」

「そうねえ――「ジョン・ピール」とか――「キール・ロウ」とか〔それぞれイングランド北部、スコットランドの民謡〕」

思い出していると、声が自分のなかで揺れているようで、ベッドにもぐりこむとその曲が自分のなかから出てくるのが聞こえた。

サンドゲートを通ったら、サンドゲートを、サンドゲートを、
サンドゲートを通ったら、娘が歌うのが聴こえたよ……
〔「キール・ロウ」の歌詞の一部〕

彼女の内なる沈黙の声は、ほんものの声になった――それは聴こえたし、声が大きくなっていくのを感じることもできた――〈普連土の家〉では一度も歌ったことがなかった。戸外で歌うのが好きだったのだ。クルミの木の葉と、エサウという赤い猫が夕暮れどきに坐っている壁を見つめ、フクロウの声を聴き、そして、部屋の一筋の明かりが失

せていくのを感じた。

娘が歌うのが聴こえたよ。

あのころはなぜ、何もかも美しく思えたのだろう？　すべてが美しかったはずはない。だけど、いまのエミリは、オークの木に登って木の上ならクロウタドリみたいに歌えるかどうか確かめてみるなんてしないし、鳥の声をすなおに、わくわくしながら聴いたりはしなかった。

仕事が終わると、まっすぐに家に帰った。赤いチェックのエプロンドレスを着た少女が、両手で扉の取っ手を握りしめ、玄関口で小躍りして、鍵穴を覗きこんでいた。少女の笑い声と家のなかにいる別の子どもの声とが、通りに響いていた。少女はエミリを見ると、腕の下から横目でちらっと見上げた。

「エミリ叔母さん、こんにちは」

「こんにちは、アン」

「わたし、何をしてるんだと思う？」

「知らないわ」

「ディドルを見てるの。ディドルはわたしを見てる。彼女の目が見えるわ。わたし、鍵穴から覗きこむって言ったのよ。だって、あんまり外に出ないんだもん。ヤッホー、ディドル」アンは叫んだ。「わたしはここよ。あんたはそこなの?」

「ヤッホー、アン、わたしはこ・こ・よー」少し小さい声が甲高く響き、笑い声が上がった。突然、アンは興味を失くした。彼女はエミリに長い一瞥をくれた。冷たく、奇妙で、意識して吟味しているようなまなざしだった。そしてエミリは、子どもの唐突なまなざしにどぎまぎしてしまい、身をかがめて、舗道に落ちた赤いリボンを拾い上げた。アンは大喜びして、だけど落ちつきを取り戻した。緊張が解けて、ふたたび、スキップして微笑んでいる小動物になった。

「わたしたちはみんな、ヒトラーじいさんから逃げてきたのよ」彼女は楽しそうに言った。

「ママはここにいるの、ディドルとジェイミーも。知ってた?」

彼女は扉の取っ手をいっそう速く回したので、なかの金具がガチャガチャ音を立てた。

「あなたたちが来るのは知ってたわよ」とエミリは言った。

「ジェイミーは怖がってなかったの。ディドルは怖がってたわ。そうじゃなかった、ディドル?」

「そ・う・ね」家のなかにいる子どもがくすくす笑った。

「ディドルは泣いたのよ。ジェイミーは泣かなかった。ドアを開けるわ。あなたに教えてあげたいことがあるの」

ふたりは、日の当たらない冷たい石の路地に入った。路地には鞄や乳母車が積んであった。ディドルはとても背が低くて太った子どもで、マットのうえにしゃがんでいた。

「触らないで!」アンが心配そうに言った。「これは足を拭くためのマットなのよ、エミリ叔母さん。下に何か置いたの。失くしたくなかったから。ペニー硬貨よ。ほら見て。表か裏か?」

「裏よ」ディドルが叫んだ。

「あんたじゃないの。エミリ叔母さんよ」アンがおどけて偉そうに言った。

「アン!」どこかから声がした。

「ここよ、コイン投げしてるの」とエミリが叫んだ。

「二ペンス賭けるわよ、アン、当ててみて」

「勝ったわ、勝ったわ。いつだってわかるの。このことを教えてあげたかったの。これは裏よ」とアンは謎めかして言った。

「裏よ」ディドルが言った。

「見てるのね」

「はあい」

「あんたは見ちゃだめ《ユー・マスント・ルック》！」

「あたしはムちゃだめ《アイ・マトンド・ルック》……」

アニーが現れた。戸口から斜めに身をかがめて、エプロンにからだを突っ込みながら。

「アン、お願いだから――」アニーの声は疲労で乾いていた。「こっちに来て、牛乳を飲みなさい」と低い声で言いながら、おとなしくなった子どもたちをひとりずつ捕まえた。

彼女はエミリよりもさらに痩せていて、簡素な赤いワンピースが、細い手足のかきたてる風でめくれていた。アニーの目はしばしのあいだ、エミリの目を捉えた。そのまなざしには無意識の強ばりがあり、ほんとうにいのち《アニマル・ライフ》にかかわるわけじゃないものは、すべて軽蔑しているみたいだった——ときおり、母も同じような目をしていた。しかしその目の奥には、温かみがあった。「ただいま、エミリ。時間ができたらお相手するわね《アイ・シャル・シー・ユー》」

「あなたを見る《シー・ユー》、あなたを見る《シー・ユー》、あなたを見る《シー・ユー》。いいえ、それはできないわ。わたしはあなたの目のなかに棲んでるんじゃないの」とエミリは思った。彼女は小さな石の中庭へと出て行ったが、そこはつまらなく思えた——何かが足りなかった。ああ、そうだわ、井戸の蓋が閉まっていて、大きな石が乗っかっているのね。暗い蔦緑色の水は、そのきらきらした反射光とともに、その下に埋められてしまっていた。

「エミリ」と母が言った。ジャガイモをざるにあげて水切りをしているところで、湯気は植物みたいに壁を伝って立ち上った——「エミリ、その布巾《ふきん》を取っておくれ。緑が何もなくて残念だわ。摘んでくる時間がなかったもの……ありがとう。行く前にイラクサの穂先を摘んできてくれないかしら。かわいそうなアニーは、することが多すぎて」

「わかったわ、おかあさん」

カナリアが小さな昆虫みたいな音を立てて、餌の種子を割って食べるのが聞こえた。とても暑くて、日の当たらない石が生温かくなっていた。エニシダとハリエニシダの鞘が日光のなかではじけ、その小さく微かな割れる音とムネアカヒワの鳴く音だけが、静けさを生きたものにしていた。エミリは、あたかも灼けた芝草とその上にある空を見ているかのように、カチカチ、ピーピーいってる熱い世界を思い出した。二階では、寝かしつけられている子どもたちがゼラニウムの葉を彼女の頭に落とし、張り出し窓のなかで笑っていた。彼女は母の紫水晶の首飾りを見て、川のことを思った。宝石と銀の下で、母の首はところどころ赤みを帯びていた。母の子どもへの愛は心配ばかりで、孫にたいする感情だけが自然で楽しいものなのだった。母はテーブルの前に坐って、邪魔しないように、ジェイミーが泣いてもキスをしに二階に上がらないように、アニーが言い返す声に腹を立てないように、じっと我慢をしていた。だけどアニーはどんどん口数が少なくなって、食事の終わりごろには唐突に椅子を窓辺に引き寄せ、そこに奇妙に節だらけの神経質な両手で膝を抱えて丸まって坐り、疲弊したように泣き出した。突然、彼女はエミリより若く見えた。子どもたちより幼いようにさえ見えた。そして、彼女の魅力的で上品な小さな顔、それが美しいのは働いているからで、普段考えているからではなかったのだけど、それがめったに見ない顔——彼女のほんものの顔になった。彼女が泣き、息を切らし、怖がって子どもっぽくなっているのを見て、母とエミリは彼女の横にひざまずき、怯えたからだの動きをさすって鎮めようとした。

「あの人、殺されてしまうわ。ああ、おかあさん、おかあさん」

「いいえ、殺されないわよ。大丈夫よ。泣かないで、ねえ」

「殺されるのよ……」アニーは泣いた。彼女の声色がふたりの胸を打ち、ふたりは黙って彼女を見た。日の光の下で、彼女の輝く涙は彼女を包んでいた。彼女は指に妙に力をこめて、目からその涙を拭いとった。指先は水の雫《しずく》のように冷たかった。「殺されるのよ。あたしは生きていけない、生きていけないわ。ここでは誰も知らないもの。あたしにはトムが必要よ。トムが必要なの」

「アニー、でもあなた、子どもたちがいるじゃない!」

ヒステリーの癇癪が、狂気の怒りのように、アニーを揺すぶり起こした。彼女は立ち上がり、泣き叫びながらドアを飛び出ていった。「子どもなんかどうだっていいわ! みんな学校へやってしまって、あたしはトムのところに戻るのよ」

母は坐って、ため息をついた。かすかなそよ風が庭から吹きおりてきて、ツルクサの葉が、まるで路地を歩いてきた誰かの服に触れたかのように、うつむいた。その動きとともに夕べの時間がやってきた。それは、昼間とは完全に切り離された時間だった。

「アニーをどうしようかしら——どうしようかしら——もしトムが——もしトムに、万一、何か起こったら。あんたが帰ってくる前に、わたしに教えてくれたのよ——かなり落ちついていたときにね——おまえは子どもたちに責任があるんだって、トムが言ったってね。子どもたちにはひとりでも親が必要だって、トムが言ったっていうんだよ……」

「そう」とエミリは憂鬱になって言った。

　そしていま、七時の電車が二時間遅れでやってきて、駅に停車して蒸気を吐き出し、その灯りが木々や黄色っぽい牧場を照らした。エミリは籠《かご》をたずさえて、イラクサの灰色の生垣のある炭塵を敷いた道に沿ってゆっくりと進み、手袋をした手で穂先を切り取っていった。

　柵を通して、旅行鞄や自転車や手押し車をもち、あるいは子どもを連れて急ぐ人びとがちらちらと見えた——みんなばたばたと走っていて、その様子は、外れてめくれ上がった扇子の骨の上で、絵がはためいているかようだった。人びとの足音は、金槌の音がしなくなった新しい工場の敷地を通りすぎた——まばらな言葉の音、ステッキの音色がリズムを刻んで、街に向かっていき、タクシーが三台、道路を走り去った。油じみた黒いエンジンが通り抜けていった。それから、純粋な夕べの匂いがやってきた。空と、牛が草を食《は》む牧場の香り、水たまりと日陰の香りだった。

彼女は振り向き、籠を下ろした。柳の多い荒地に生えた二本のクリの木が、花をつけているのを見た。大きく広がった緑色に、花のほうは先細りになって均衡を保っていた。木を照らす日光は木の一部のように見え、花はまるでひとつひとつ、広がった葉のなかに手で置かれたみたいだった。

鳥がさえずっていた。その音色は、いつもこだまのようだった。声ではなく、その反響しか聴くことができないみたいに。呼び鳴きが暗い森の隅々に響きわたった……鳥がさえずっている、とエミリは思った。お気に入りの部屋の外の、雨のなかで。その部屋の暖炉では、フクロウの胸のように焦茶色になった古い丸太だけが、ゆっくりと燃えていた。

「窓辺に坐って、縫物をして、そんな木を見つめてみたいわ。何時間も何時間も、静けさが続いて……」

そのときエミリは、自分の欲するもの、無関心なものが何なのかを、とうとう完璧に知ることができたのだった。欲しているのは平和と自由――天然の荒々しい平和、その速度と声なき静寂。どうでもいいのは自分の義務、いずれにせよ、やるのだけど。やろうとはするのだけど。生のもっとも大切なものは、心が失業している歳月のあいだ、置き去りにされるのだろうけど、それは戦争だから。彼女は木に目をやり、葉が沈みゆく光のなかでしなだれていくのを見た。この静けさを持って帰ろう。木から離れるとき、彼女はさよならと言った。

「自分を大切にしてないと、勝手に、何か別のものに所属させられてしまう。国家だわ。自分を乗っとろうとするものなんて、それ以外にはない……」

窓辺で何か静かにじっくりと仕事をして、花が咲いてるクリの木を見ること。縫物でも、詩を書くことでも、あるいはただ歳をとっていくだけでもいい。フラン叔母さんはエンドウ豆の鞘を剥《む》いたり、キイチゴを集めたりしていた。そんなふうな秩序、秩序のための秩序ではなくて、模倣される以前の、荒々しくて、うっとりするようなリズムがほしい。生が、生に自然に従うのであって、この歪んだ死のかたちへ従うのではなく。戦争には季節なんてない。光も闇もなく、ほんとうの時間なんてなくて、嘘、嘘ばかり。手だけが、いっそうすばやく動いている。

彼女は時計のことを思い、急ぎはじめた。

その晩、川沿いにフラン叔母さんの家へ歩いていくとき、エミリはかの釣り人に出会った。彼は草を噛みながら、柳のあいだを通って土手に上がってきた。彼を見て、エミリは驚いた。空を見上げているところだった。すっかり晴れて明るく、どこかで見たことがある空だけど、この地上で見たのではないような気がした。立ちどまって無意識に考えこんでいると、一昨晩の夢が、距離と静寂の感覚とともによみがえってきた。凧が宙で破れ、ふたりの巨人が腕を組んで降りてきて、振り向きもせず歩き去ってしまったのを思い出した……。

釣り人は、こんばんは、と挨拶した。はじめてふたりは握手をした。彼はエミリに、どこへ行こうとしているのですか、と尋ねた。行先を教えると、いっしょに船小屋まで歩いて戻ってもよかったら、川上までボートで送りますよ、と言った。

「橋まで回り道する手間が省けますよ」と彼は言った。

「行きませんか？　鍵は持っています」

喜んで、とエミリは言った。もう何年も、ボートに乗ってなかった。それで、ふたりは向きを変えて、土手に沿ってぶらぶら歩いた。静かで、涼しかった。牧草の匂いを嗅ぐことができ、青白い地平線にかかった月の周りに、月光がかたちづくられるのが見えた。

「月って、アザミの冠毛でできてるみたい」とエミリが言った。

彼はエミリをちらっと見て、すぐに目をそらしてふたたび水面を見た。

「田舎はお好きですか？」

「ときどき、田舎しか好きなものがない気がします」

ふたりは話したが、心は川と黄昏に預けたままのようだった。彼はエミリの前を行き、花のついたサンザシの枝の束を手に持っていて、その周りに蛾がぐるぐる飛び回っていた。エミリの脚は濡れていた。からだのほうは、夕闇の原っぱによくある冷気を感じて、突然深い眠りに落ちる前の、あの澄んだ覚醒の気分を味わった。

彼女はいまでは忍耐強く、平穏な気持ちだった……小枝を握った、緑色がかった日焼け跡のある彼のオリーヴ色の手を見て、どうしてふたりは、それほど完璧にお互いをわかっているのに、微妙にお互いを無視しあうのだろうと不思議に思った。

彼はゆっくり歩き、足は芝草のなかで、微かな音を立てた。対岸の花の咲いた牧場の向こうでは、霧の塊が近づきつつあった。すばらしい、冴えた冷気と開放感があった。草の根の下にある水が、動かない鳥のように笛の音を鳴らした。

「ぼくは工場で働いています」と彼は言った。「そのせいで、あなたになかなか会えなかったのです。いまでは組長なんです」

「わたしはあなたを昨日見かけましたよ」と彼女は言った。「〈聖者《セインツ》の小屋《コテージズ》〉で。だけどあなたは眠っていました」

「そうでした」彼の声には抑揚がなかった。「夏は、小さな部屋が嫌いなんです。私の勤務時間は変わりました。明日は昼勤です」

エミリは夢見心地で、彼についていった。心のなかはぼんやりした感情でいっぱいだったけど、ひとつだけはっきりした考えがあった。それは、自分はこのことをけっして忘れないだろうということで、どういうわけか、ふたりは二度と会うことはないだろうと知っていたからだった。

川は鎌みたいに曲がっていて、水上には一羽の白鳥が、船小屋の向こう側を泳いでいた。その白さはくっきりきわだっていて、からだが水面の線で終わっているように見えるので、落ちつきなく泳いでいる様子はほとんどわからなかった。

船小屋のなかでは、巨大で虚ろな回転音と、木がバタンと鳴る音があった。小屋もまた、なじみのあるものだった。スキットルズゲーム〔ボールを転がしてピンを倒すスポーツ、ボウリングの原型となった〕をやる男たちが、そこをレーンに使っていた。釣り人がなかに入っているあいだ、エミリは立って、サンザシの木の下にある深い溝を見下ろした。そこの水は、漂っている白い花びらで覆われていた。花の匂いは忘却の匂いだった。彼女は木の枝を顔にかざした。そして枝を手から放すと、バサッと音を立てて木のなかに戻ったが、まるで隠れていたモリバトが、荒々しく羽ばたいて飛んでいくみたいだった。彼女は深いため息をつき、心にゆとりをもとうとした。釣り人は一対のオールを持って出てきた。ふたりは上陸場へと降りていった。一羽のバンが、水をかき回していた。

「乗って」と彼は言った。

エミリはしっかりとした足取りでボートに乗った。足が呼吸をしているみたいに感じていた。水草が水面下で揺れており、暗闇が立ち上ってまとわりついていた。黄昏とは違う、何か霧のようなものが、ふたりの周囲で砕け散った。ボートは揺れて、そしてかろうじてバランスを保った。その下の川は、バイオリン弾きの指の下の弦みたいに、張りつめて振動していた……。

釣り人はボートを押し出した。そして一気にボートに乗り込み、しゃがんでオールを広く開いた。ふたりは川の真ん中へ、そして上流へと滑っていった。ふたりが行くのは短い道程だけで、川を行くのは原っぱを歩いた道程の四分の一にもならなかった。

彼はしばし休止し、こぶしを胸に引き寄せてそこで合わせ、エミリを見て微笑んで尋ねた。

「漕げますか？」

「いいえ」と彼女は言った。「どんな気持ちなのかしら？」

「最高です」

彼はつけ加えた。「オールが手に、水の震えを伝えてくれる感じが好きなんです。鼓動がするみたいなんですよ、ここ、それにここ。いや、とても強い感触なんです、強力というか――」

「電気みたいに」と彼女は言った。

「そのとおり。何か知らないものとつながってるような。あなたはたくさん考えるんでしょう、違いますか?」彼は突然尋ねて、彼女を見つめた。

「いいえ」彼女は悲しそうに言った。

「そう? 考えているように見えますよ。だけどおそらく、あなたはそれを違うふうに呼ぶのでしょう」

彼女は手を水に浸し、沈めて漂わせ、緑色の真珠のような丸い指の腹が、水面下でぼんやりと滑っていくのを見つめた。タンポポの種が溺れかかっていた。灰色の妖精の国のような静寂さが流れていて、ふたりはしばしのあいだ沈黙した。この静かな水路の両脇に盛り上がった土手が、水路の両端に影を落としていた。

「わからない、わからないわ」とエミリは考えながら、ため息をついた。

「ぼくはよく、一晩中ボートを漕いで、ここを行ったり来たりしているんです」と釣り人は言った。「一晩中ね」と彼は自分自身に向かって繰り返した。

「そうですか」

「そうです。川が大好きなんです。わたしにとって、川に勝るものは何もありません」

エミリは、彼が一日中工場にいて、それからここに来て、一晩中たったひとりでいて、眠ることもなく、自分を見失うこともないのを想像した。「だけど、あなたは眠らないんですか？　次の日に疲れないんですか？」

「いいえ、ぼくは疲れを感じません。ぼくはずっと大勢の人に囲まれて暮らして、そのあとはただ眠るだけなんて、できないんです」

エミリは濡れた手を額に当て、しばらく何も言わなかった。そして、当惑して尋ねた。

「工場の勤務は何時間？」

「一一時間」

彼はエミリに微笑んだ。エミリは微笑み返そうとしたが、口がまるで踏みつけられて動かないみたいだった。彼の顔にはとほうもない孤独があって、最後の砦《とりで》のすぐ向こうに立って、稲妻を見つめている男の顔のようだった。

「ぼくの母はフランス人でした」と彼は唐突に言った。「だけど母はぜんぜん、あなたが考えるような種類の人間じゃありませんでした。倹約家でも几帳面でもなく、フランスの女は一般にこうだと思われているような人物ではありませんでした。ぼくは、穴の開いてないポケットだとか、雨風を防ぐボタンなんてものがなんなのか、知らないで育ったのです……原っぱをうろつき回ったものです。いまでも、浮浪者の習慣が残ってますよ……ああ、もちろん、目に見える習慣じゃないといいんですが——そうじゃなくて——家には我慢がならないんです、家のなかにいるとけっしてひとりになれない気がして。けれども——」

「家のなか全体で、ひとりきりになるのは無理ね」とエミリは笑った。「わたし、ひとりになれる部屋は好きです。そして、窓の近くに坐るの」

「だけど、木がない田舎は好きじゃない」とエミリは曖昧に続けた。「ガラスの巣箱に入れられた蜂みたいに感じるもの。おかあさんは科学的な方？」

「母が——まさか！」

「あら、フランスの女性はそうなんじゃないかと」

「ふうむ」と彼は言った。「たぶんあなたは正しいな。たぶん母は、確かに自分なりに科学的だったんでしょう。花を育てるのが好きでした。白い花です——大きな白いヒナギク——背の高いやつで——風のなかを歩いていると、うちの生垣にその花がずらっと並んでいたのを思い出します。帰宅するとき何度も、その花をうちの白い猫と見まちがえたものです。まったく、そのとおりだ」そして彼は、水からオールを、あたかも根っこが生えているかのように引き抜いて、その先端から水が滴っているのを見つめた。

「原っぱの匂いがする」と彼はつぶやき、振り向いた。

「わたしの母は音楽家でした」とエミリはゆっくり言った。「人に知られているような音楽家じゃないんです——楽器を演奏するのがとてもうまくて、好きでした。歌手になりたかったんですけど、おとうさんが許してくれませんでした。ほかの女の子が失敗したんです。わかるかしら」彼女は前かがみになって、足元を見て、話しながら、冷たく濡れた指で足首を握りしめた——「わかるかしら、ときどきわたし、母のことを一日中考えてるんです。そして、母が人生でいちばん幸せだったにちがいない時期について。それは、母がわたしくらいの歳のときでした。彼女はピアノをやめて、オルガンを弾きはじめました。バッハについて話すときはいつも、彼のフーガを弾きはじめたときのことを思い出すみたい。少年に六ペンス払って、自分のためにオルガンに送風してもらっていたとか〔旧式のパイプオルガンは、送風するためのふいごを人力で操作する必要があった〕。ふたりきりで、平日に、空っぽの教会で……そのことを話すとき、彼女の目は輝きます。ああ、そのころの母のことを考えるんです。そうしたある日、母はうっとりしたままそこから歩いて出ていき、二度と戻らなかったんだと思うと、言葉に言い表せないほど哀しいのです。彼女は喜びを永遠に置き去りにして、その後、あらゆる厄介ごとやつらい仕事や貧乏が、彼女に降りかかってきたのです。そして、彼女の顔を見ると、どうしようもなく、心が張り裂けるように感じます。あまりに悲惨じゃないかしら？　そうじゃないのでしょうね——戦争のことを考えれば」

「わからないな」と彼は言った。「結婚したのですか？」

「ええ。そして子どもが四人生まれました。わたしたちは、バッハの不出来《ふでき》な代用品なんです」

「わからない」と彼はふたたび曖昧に、考えながら言った。「バッハそのものも、おそらく何かの代用品なのでは――つまり、彼が何かにとってかわっているということですが――女性の、純粋な意味での自由だとか。そう思いませんか？」

「ええ。だけどわたしたち、ほぼ全員が悪い子なんです」と彼女は小声で言った。

彼はゆったりとオールを動かし、ボートの鼻先を、彼女が上陸することになる古い羊の洗い場のほうへ向けた。振り返って彼女を一瞥し、何を考えているのか尋ねた。

「わたしが？」彼女は言った。「わたしたちは二度と会うことはないだろうって考えてました。どうやってそれがわかるのかわからないけど、だけどわかるんです」

「あなたがそう感じるのは妙ですね。なぜなら、ぼくはもうすぐ引っ越すことになりそうだからです。おそらく、徴兵されるでしょう。どこへ行こうと、あんまり気にしてませんが」

「何も感じないんですか？」

「いえ、何かは感じます」

「何を？」エミリは感情をこめて叫んだ。

「何を？」彼は笑った。水をかき分けながら。「ええっと、失くしちゃった！」

その言葉は、川の真ん中にどんどん沈んでいくようだった。エミリのからだは軽く、冷たく感じた。手をボートの狭い端っこに置き、川に映った空の、影のなかの影を見下ろした。黄色っぽい緑色の輝き、とても大切な光、闇の光だと思ったのだけれど、その光が、ふたりの離れた後の地平上にあった。土手のいちばん上には、巨大なヘムロック〔セリ科の薬草、ドクニンジン〕の茂みが広がっているのがはっきり見えたけど、それは黒でも緑でもなく、暗闇のような、妙に柔らかい茶褐色をしていた。ここで降りるのだった。川の流れは満ちたり引いたりして、ふたりに考えることをさせなかった。

「おやすみなさい」と彼女が言った。芝草にさらわれたボートが、土手にぶつかって揺れていた。

「おやすみなさい」揺れるボートの先端で、彼が言った。

彼女は陸に飛び降りた。石の上に立った。躊躇するかのように、彼は漂っていた。そして、オールがポチャンと水に入るのが、はっきりと聞こえた。ボートは斜めに曲がった。彼女はそれが行ってしまうのを見つめた。原っぱから見ると、川はすべて霧だった。彼は行ってしまった。だけど、漕ぐ音は聞こえなかった。下流に漂っていったにちがいない。彼は行ってしまい、それは終わってしまって、ふたりはもう二度と会うことはないだろう。

エミリは腰をかがめ、川のなかを歩いてきたみたいに濡れて冷たい足をさすった。ふたりとも、お互いを個人として知ろうとはしなかった。この点から見ると、それは彼女の人生におけるもっとも不可解な出会いだった。けれども、この出会いがふたりにとって何を意味することになるのか、彼女にはわかっていた。ふたりが互いに相手をつうじて感じていたもの、その何かへのお別れだったのではないかしら？　だからこそ、二度と話をすることはないというわたしの直観を、ふたりとも否定できなかったのではないの？　あまりに直截で、あからさまな説明のしかたかしら？　それこそが、ほんとうに今晩起きたことなのではないの？

彼女は立ち上がり、両腕を翼のように曲げ、こぶしを胸に押し当てて、足にひりひりする、草深い小径を駆け降りた。彼女が走ると青ざめた黄色い月が空で跳ねまわり、背後には傷ついたシロツメクサやギシギシ、イラクサの芳香が立ちのぼった。牧場では牛が、海岸の岩みたいにじっとうずくまっていた。彼女の心臓は、胸に開いた穴から、飛び出したり引っ込んだりしているようだった。雌羊と子羊が庭の門の隅にいて、全身震わせて、地面に落ちた雷の音をこだましてるみたいにガタガタしていた。スイカズラの香りがあたりいっぱいに漂い、静寂を強めていた。そしていま、中庭の砂粒が海の砂のように濡れた足に貼りついたまま、彼女は階段を駆けのぼった――フラン叔母さんの家に着いた。力尽きて、呆然として、玄関に寄りかかった。工場の機械の音、沈黙によって破られることのない声たちの光景が耳に鳴り響き、彼女は眼を閉じた。これが未来なのだわ……。

彼女は窓から、ランプの光の傘のかかった部屋を覗きこんだ。フラン叔母さんは編み物を手にしたまま椅子で眠っており、真鍮のロウソク立てのなかでロウソクが燃えていた。乱雑な部屋からぼんやりした金色の光が輝き、その輝きは芝生へと流れ出ていった。

エミリは思った。「あのロウソクの燃えさしを持って、寝室に行くわ」

マージアッド・エヴァンズ「失われた釣り人」解題

中井亜佐子

マージアッド・エヴァンズ（Margiad Evans）は一九〇九年、ロンドン郊外のアクスブリッジに生まれた。本名はペギー・アイリーン・ウィスラー（Peggy Eileen Whistler）という。一〇代の初めにヘレフォード州ロス・オン・ワイ近郊にある父方の叔母の農場に一年間滞在し、その後ウィスラー家は農場の近くのブライドストウに家を買って住むことになった。このウェールズとイングランドの国境地帯はエヴァンズの小説作品の原風景であるとともに、そこでの経験が彼女の作品世界をかたちづくっている。小説を執筆しながらエヴァンズはさまざまな非熟練労働に就き、第二次世界大戦勃発時には軍需工場で働いたこともある。長編小説には、比較的よく知られるデビュー作『カントリー・ダンス』（*Country Dance*, 1932）の他、『ぎこちない医者』（*The Wooden Doctor*, 1933）、『芝か石か』（*Turf or Stone*, 1934)、『信条』(*Creed*, 1936) がある。「失われた釣り人」が収録されている『老いた者と若き者』(*The Old and the Young*, 1948) は、エヴァンズの唯一の短編小説集である。その他の著作には『自伝』(*Autobiography*, 1943)、脳腫瘍の闘病体験をつづった『暗闇の光』(*Ray of Darkness*, 1952) などがある。一九五八年、エヴァンズはこの病気のため四九歳で世を去った。

『老いた者と若き者』収録作品の大部分は、第二次世界大戦中あるいは終戦直後に執筆された。エヴァンズの作品の多くは自伝的要素を含んでいるが、「失われた釣り人」もブライドストウと思しき町を舞台としており、エヴァンズ自身が経験した大戦中の過酷な日常の描写に、幼年期の叔母の農場での幸せな日々の記憶が折り重ねられている。空襲の激化していた大戦中の五月、主人公エミリは二七歳で、臨時の仕事で歯科医の助手をしながら、母親とふたりで暮らしている。小説の冒頭では、戦死したと思われていた弟のパトリックが戦争捕虜になっていたことが判明している。ロンドンからは、空襲で家を失くした人びとが大勢この町に押し寄せている。ロンドンに住む姉のアニーは夫が出征し、独力で三人の子どもを育てながら空襲を耐えていたが、ついに子どもたちとともに疎開してくる。エミリの夢や回想のなかで理想郷のように再現されるフラン叔母さんの農場は、実際には彼女の家から歩いて行ける距離にあり、アニーと子どもたちに寝室を譲ったエミリは、フラン叔母さんの家に泊まりに行く。その途中で、エミリは「釣り人」と再会するが、それがふたりの最後の出会いとなる。

「釣り人」と呼ばれるこの青年に、エミリが二カ月前からときどき出会っていた。青年は軍需工場で長時間労働をしており、近い将来徴兵されて戦争に行くかもしれない。しかし彼は、そうした現実世界からは遊離した夢の世界、異次元空間にでも生きているかのような人物である。エミリと「釣り人」の関係を異性愛的なものとして、この小説を戦争中のはかない恋愛を描いたものとして読むことも可能であるが、エミリ自身の言葉では異性愛感情は否定されている。「釣り人」はむしろエミリの分身――「わたし、こんなふうに見えるかも」――木登りしたり川を泳いだりしていた子どものころの、幸せだったころの「ほんもののエミリ」の姿である。かつての平和な日常が非現実的なユートピアに見えるのは、まさしく戦争という非日常、非現実的で想像を絶する暴力が日常となり、現実となってしまった世界の不条理ゆえであろう。細部の描写の緻密さはこの小説のきわだった特徴であるが、人間の行う戦争と隣り合わせに、あいかわらず草木や鳥たちは日常の生を営んでいるさまがいたるところに書き込まれており、戦争の不条理がさりげなく暴き出されている。

「失われた釣り人」は三人称体で書かれているが、大部分はエミリの視点で語られており、しばしば自由間接話法（視点人物の意識の流れを引用符なしに地の文の時制と人称で描出する話法）が使われている。『カントリー・ダンス』の大部分が一九世紀ウェールズの農村女性の一人称で平易な文体で書かれていたのに比べ、この小説の語りの技法は、労働者階級の女性の意識をより複雑な文体と語彙で記述することを可能にしている。視点にかんしていえば、小説の前半部分では母親の視点が混ざっていることもある。たとえば、夜中に目覚めた母が死んだ夫に初めて紹介された夢を思い出している場面は、あきらかに母の視点で語られている。最後に交わした会話のなかで、エミリと「釣り人」は互いの母親について語り合い、エミリは彼女の母もまた、若いころの夢と幸せを結婚によって奪われたと言っている。エミリの視点で語られる物語のなかに一瞬母の視点が混ざり、両者の意識が重なり合うことによって、エミリの苦しみが戦争によってもたらされただけではなく、世代を超えて連鎖し、共有されるジェンダー的経験でもあることが示唆されている。

徒費された時間

ロン・ベリー

西 亮太＝訳

Time Spent

Ron Berry

WARNING CCTV SECURITY
SURVEILLANCE IN
OPERATION ON THIS SITE

ガモン医師は茶封筒の片隅を折り曲げて言った。「この通知はX線検査を裏付けるものだ。いいかね、ルイス、きみの坑内での仕事は終わったんだ。きみは一〇〇パーセントだ〔じん肺症の進行具合をパーセンテージで表す診断が行われていたと考えられる〕。自分のことをおろそかにするからだ、本当に、なんともだらしない。私はもうたくさんの坑夫たちを全国石炭庁《NCB》の医事局に送りだしてきたんだ」

ルイス・リマーは脚を組んだ。彼は、吊り上がった大きな黒いキツネのような目をしていて、その額と同じようにしわのないピンっと張ったつやのある白い骨ばった鼻すじのわきにその目が並んでいた。その額とたっぷりとした顎の垂れ肉が彼の印象を決めてしまっていた。情熱に見放された男の顔だ。「おれは五七歳だ」と彼は言った。「五七歳の野郎に転職なんて期待できないだろうさ。おれはこれまで石炭の仕事しかやったことがない。ヴァウル炭坑で掘進をやってきた。三〇年ちかくも切羽《きりは》で掘削をしてきたんだ」。医者は苛立たし気に舌打ちをして言った。「正直に言おうか。切羽での仕事をやめないと六〇歳までもたないだろうよ」

「なんてこった……」

「私からの助言だ。屋外で過ごす時間をできるだけとれ。菜園を耕して、野菜や花を育てるんだ。そうすれば良い老後を迎えられる可能性が高まる」

ルイスは脚をゆすった。「おれは鳩のことで手一杯なんだよ。いったいどこで職を見つけられるっていうんだ、そうだろ?」

「再就職のことは忘れろ。担当の組合事務官に会うんだ、今日会うといい。彼が失業手当関連の部署につないでくれるはずだ。きみは失業手当を満額もらえる資格を持っているんだ」

戸口のところでルイスは言った。「おれから言わせれば犯罪的だよ、一人の男を路頭に迷わせるなんて。おれがこれまでやってきたことを何だと思ってるんだ」

ガモン医師はルイスを指さして言った「ルイス、きみの坑内業務は終わったんだよ、法的に！　石炭庁は十四日間の猶予期間を過ぎてまできみをあえて雇うようなことはしないだろうよ」

「まいったな……じゃぁ、また、先生」と彼は言った。

うつむいて上衣のポケットでこぶしを握り締めながら、ルイスは湿った石畳を歩いた。降ったり止んだりを繰り返す小雨の向こうにペン・アルグルイズ山がそびえていた。道路を渡って薬局に入った。カウンターの向こう側では用心深げな若い女性店員が作り笑顔で言った。「おはようございます……」と、処方箋に目を落として、「リマーさん」と続けた。

「ちょっと胸のあたりがね」と彼女を見つめながら言った。なかなか良いな、ああ、枯れきっちまった老いぼれにはもったいないくらいの代物だ。彼女にかかればうちのベシーなんて腰回りにたっぷりとしたお荷物を巻き付けているようなもんだ。「で、勘定はおいくらだい？　お嬢さん」

ビクッとした震えが彼女の肩を走った。彼の醜い顔の生々しさ、大きく爪の黒くなった何かひとの注意を引くような手。ああ、馬鹿な年寄り坑夫だ。「七〇ペンスです、リマーさん」

「ナイ・ベヴァン〔ナイ・ベヴァンはウェールズ出身の政治家アナイリン・ベヴァン（一八九七—一九六〇）の愛称。国民保健サービス（NHS）の導入で知られる〕も草葉の陰で嘆いてるだろうさ」と彼はにっこりして自分の腹をポンっと叩いて言った。

「あの、おっしゃる意味が分かりません」。彼のジャケットのポケットに入っている鳩の餌、赤えんどう豆のカサカサ鳴る音が彼女には聞こえた。「どうぞお座りください。何分もかかりませんから」

おしゃべり好きで品のよさそうな年配女性の一団が入ってきて、カウンターに沿って並んだ。貧乏ゆすりをしながらルイスは物思いにふけった。目に入るものも耳に入るものも、意識から遠ざかっていった。ルイスを見失っていた先程の店員がルイスを見つけ、笑顔のままでやって来た。ルイスは受け取った錠剤のお礼もせずに店を出た。

小雨は霧雨程度まで弱まり、ペン・アルグルイズ山正面の大きな峰のあたりまで降り注いでいた。雑穀商の店から出ると、乗るつもりだったバスが角を曲がって行くのが見えた。歩いて帰ることにした。じっくりと行くんだ。家路を急ぐ必要はない。鳩たちの餌付けも水やりも済んでいる。ベシーの毎朝の仕事だ。彼女にできる最低限の仕事だ。キリストに誓ってもいい。ウィリアムを妊娠して以来、彼女はルイスに頼りきりになってる。出産は一度だけ。それ以降は不毛だった。無駄だったたってわけだ。排水溝に投げ捨てられた残飯みたいなもんさ。

歩調を乱さず平然と、ルイスはある通りの角で立ち止まり、足を引きずりながらぐるっと向きを変え「ええい、近道だ」とつぶやいた。跳ね上げ式の歩道橋を上ると、満杯のトロッコからは硫黄のようなにおいの煙が立ち上っていた。ルイスは手すりにつかまって身をかがめ、ゴホゴホと咳をした。鼓動が激しくなった。歩道に戻り、自分の体の弱さを呪った。それから、徒歩で家まで帰らざるを得なくなってしまったことも呪った。こんどはまた別の橋のたもとまでやってきた。下をエナメルのように黒々としたメリン川が流れている。欄干の上まで身を乗り出して、ルイスは「カーッ」と咳ばらいをし、川に向かってツバを吐き出した。それから錠剤をよく見て一つを飲み込み、プラスチックのケースを水に落とした。

一休みしながら、ヴァウル坑から自分の道具を引き上げるべきかどうか考えた。使えないのであれば、自分の道具については忘れてしまうのが最良だ。同僚に善行ができるのだから、わざわざ不親切にしてやることもない。夜勤の修理工の一人にでもくれてやろう。薄給のかわいそうな奴にタダで。

ルイスはもう一度咳をした。胸がヒューヒュー鳴る空咳だ。一〇〇パーセントか、と彼は考えた。なんてことだ。人間は五〇パーセントで力尽きるもんだが、おれはそんな状態はとうに通り過ぎてる。朝はまず胸が苦しく、血の巡りが良くなるまで息苦しさが続く。全能なるキリストよ、五七歳、この歳で人生の終わりにさしかかっているんだ。意味が分からん。ちくしょう。ヴァウル坑には年金間近の奴らもいる。あのくそ真面目な連中はシフトの度にきっちりとノルマをこなしてやがる。おれは大馬鹿野郎だ。ガモン医師はガーデニングとか口にしていたが、奴はいままで接ぎ木ひとつやったことがないんだ。自分はどっかりと腰を下ろして、おれに指図しやがる。

橋から立ち去る前に、ルイスは石炭でまだらになった痰をメリン川に吐き出した。自分の歳とじん肺症に苛立ちながらも顔を上げ、深く息をし、しっかりと体勢を整えて歩き出したが、肩甲骨と肋骨に焼き付くような痛みが走り、ポケットに手を入れたまま顎を突き出して、眼下で行きつ戻りつするつま先に視線を固定したまま力を抜いた。六フィート〔約一八〇センチ〕の精力盛んなこの男は骨の湾曲が原因で六インチ〔約一五センチ〕ほど背が低くなっていて、その目立つ湾曲がサージ織で丈の長いダブルのジャケットの中に窮屈そうに収まっている。その肩と袖は鳩の糞をふき取った跡で汚れていた。

廃坑となった第二坑の屋根のない鍛冶場の後ろに、光沢のある牽引式の移動式住宅《キャラヴァン》が三台、列をなして止まっていた。よそ者だ、と思った。全国石炭庁《NCB》の仕業だ。あいつらはおれたち炭坑の男たちが失業手当を求めている最中に、それをぶち壊そうとしてこういうよそ者を連れてくるんだ。ふと思いついて、無造作に積み上げられた坑木の山の脇を歩いた。坑道の閉鎖を思い出させる腐った目印だ。「シュマーイ《こんにちは》」と彼はよそよそしくウェールズ語で言った。そしてもう一度繰り返して「シュマーイ」。三人の若い婦人たちがフロックやピナフォアドレスのしわをの伸ばしながら、軽く会釈をし、笑顔を交わした。彼は四角い、物音の響く炭鉱事務所を重い足取りの大股で通り過ぎて行った。泥棒がドアや窓を持ち去ってしまっていた。庇の下に差し込んだ日差しは細長く伸びていた。

そこらじゅうで羊の尿と糞のにおいがする。事務所から坑口の馬小屋まで歩いてきた。壁に打たれた釘に白くカビの生えた馬用の首枷がかかっている。破滅だ、と彼は思った。破滅以外のなにものでもない。彼は坑内への引き込み側線の橋のところまで線路に沿って歩いた。赤さびた緩衝材が苔生した枕木に打ち付けてあった。左を向き、昔からある緑の繁茂したぼた山の間の、大通りに戻る小径を彼は選んだ。

ベシー・リマーはニワトリのエサに手を突っ込んでいるところだった。原始時代のビーナス像のように締まりのない大きな体をした太った女性だ。

「彼はなんつったの、ルー?」

「はっきりわかったよ。行くところまで行っちまったよ。一〇〇パーセントだ」

彼女は「なんてこと……」と、指でエサを軽く混ぜながら言った。「ウィリアムに手紙を書いてあんたのこと知らせたほうがいい?」

ルイスは暖炉の傍に腰を下ろし、足を暖炉脇の台に載せて休め、浅黒いシミの多い手を椅子の肘掛けにのせてだらりとさせた。「放っておいていい。あの子は自分のことを気にしてりゃいいんだ」

「なんてこと。なんて投げやりなの、ルー・リマー。もうずっと前に役員になってるべきだったのよ。いえ、頑固なんだから、自分がほかの誰よりもものを知っていると思ってるんでしょ。何があったって自分の思う通りにやるんだから。それがいま自分に降りかかってきてるのよ！　ガモン先生にガワー半島の療養所で二週間過ごせるって話は聞いてみた？　どうせ尋ねなかったんでしょうよ。あんたに必要なのは二週間程度の休息だっていうのに。分かってる？」

「ニワトリたちがそのエサを待ってるぞ。終わったらすぐに帰ってきてテーブルにメシ並べてくれ」

ベシーは勝手口を抜けて出て行った。未舗装の道で近所に住む、未婚で学校で清掃員をしているエスター・リースに会った。

「一〇〇パーセントだって、彼」とベシーは言った。

「なんてことでしょう」とエスターは同情して言った。

「本当は自分で分かっておくべきだったんだよ、本当に」ベシーは湯気を立てているニワトリの餌の入った鍋を抱え、腹立たしさに口を尖らせた。「うちのルイスは何を言ったって聞きゃしない。いつも自分が他の人とは違うんだって示そうとしてるの。神がその息吹を込めたもうた誰にも似てないって。これからはちゃんとしてもらわなきゃ。一〇〇パーセント分の炭じんが入ってるんだから」

エスターはあきらめたようなため息をついて頭を垂れた。彼女は四九歳で背が高く、長距離走者のように痩せていた。ベシーはさっさと歩いていった。ニワトリの餌からは灰色の湯気が立ち上っていた。エスターは頭を垂れたまま体の向きを変えた。用心深い、青い潤んだ眼、すぼめた唇は、身構えたようなくさび型をした彼女の頬骨と顎の間で年を重ねたものだった。彼女は裏庭の壁の上から空の灰入れバケツを持ち上げ「チッチッチッ」と舌打ちをすると、彼女の息子であり、ルイス・リマーの息子でもあるバーナードに教えてやろうと急いで家の中に入っていった。もちろんベシーはバーナード・リースのことは知っていたがすべては遠い昔のことだ。これ以上とやかく言うべきではない。バーナードは三二歳の未婚で、ベシーの息子ウィリアムよりも二歳若かった。

ルイスは自分では気づかずに休息をとっていた。何も考えずに座っていたのだった。食器棚の時計がチーチー鳴り、十二時のチャイムを打った。ルイスは目を覚まし、履いていた靴の底で火格子をかき回した。火花や燃えた灰が暖炉の中で舞い上がった。二階へ上がろうとしたが途中で息が切れた。小さな寝室に入る前に、踊り場の窓からベシーが通りにいないかと外を眺めた。この寝室はウィリアムが軍隊に入るために家を出るまでウィリアムのものだった。ルイスは細長い床板の一枚を剝がそうと爪をたてた。彼の秘密の場所だ。ぶつぶつ言いながらお金を数え、紙幣を一枚づつ手から手へと移していった。七八四ポンド〔おおよその年代から現在の価値で約二百万円弱と推測〕。これはおれの汗だと考えながら、ぞんざいに紙幣を二つの根太の間の漆喰の木舞の上に積み重ねていった。何の高揚も感じなかった。

裏口のドアが音を立てた。ルイスはつま先立ちで不格好に寝室を出て便所に入り、チェーンを引いて水を流し荒々しくドアを閉めた。

「便器汚ねぇぞ。ちゃんと掃除しとけ」と彼は言った。

「何か食べたいもの、ある?」とベシーが尋ねた。

ルイスは何か不満を言って、暖炉そばの椅子に座り込んだ。

「いらねえよ」

「そりゃそうね、今朝、ガモン先生にあんなこと言われた後じゃね。あとで先生のところに行ってガワー湾の例の療養所のこと訊いてくるよ。あんたはもう何年も何年も、一パイントのビール代ももらえずに全国鉱山労働者組合《NUM》にお金を払い続けてるんだから。労災のための施設があるのよ、ルー、あんたみたいな人のためのね」

「ああ」と彼は言った。

「で、俺の鳩の世話のためにお前を家に残しておくってわけだ」

「鳩！　体のことよりも鳩が大事だっていうの！」

「お前には関係のないことだ、ベシー」

「好きにしなさいよ、あんたがそうしたいなら」

「そうだな、その通りだ」と彼は落ちついて言った。

ベシーはしつこく続けた。「あんたはあたしたちのウィリアムをまるで完全な他人みたいにして追い払ってしまったのよ。あたしの息子を！　彼には何の思い入れも残っていないようだね。あんたが思い入れを持っているのはあのいまいましい鳩だけなのよ。あんな鳩がいったい何の役に立つって……」

「うるせえ！」

「あんたなんかもう怖くないわ」

「黙れ。さっさと食い物《めし》出して黙れや」

ベシーはよたよたとパントリーまで行き、チーズやピクルス、ハム、トマトソース、パン、そしてバターを出してきた。テーブルに肘をついて、ルイスはベシーが紅茶を入れている間に食べ始めた。自分で席に着くころには、ベシーは居心地の悪い混乱した気分になっていた。そしてつま先がかゆくなった。彼女は靴を脱ぐとかかとでつま先をこすりだした。強く、ゴシゴシと。強い痛みと恍惚とした快感をつま先に感じた。

「ニワトリのエサを混ぜた後、手は洗っただろうな？」と彼は静かに尋ねた。

「もちろん、洗ってないよ。何か汚いものをいじってたって訳じゃないんだから」

「じゃぁ、じっと座っていてくれ。痔持ちの女みたいにそわそわしてるじゃないか」

「つま先がとんでもなくかゆいんだよ！」

「まったく、お前には我慢ならないな」

「あんたは自分以外の人間のことなんて興味ないでしょうに」と彼女は小声でつぶやいた。

ルイスは几帳面なほどに咀嚼した。捕らえられた老ライオンのような偽の威厳を示していた。

「最近の労災は満額でいくらくらいなの？」と、彼の方に乗り出して今度は親しい調子で尋ねた。

「分からん」

「あたしたち二人には十分な額だと思うわ、ルー。なんとかなるでしょ」

「たぶんな」

「あたしたちのウィリアムもいるし。もしお金が足りなくなることがあってもあの子が何ポンドか送ってくれるわよ」

「あいつからはびた一文もらうつもりはない。やつの家はチビどもだらけなんだから」

「ウィリアムは大金を稼いでるんだし」とベシーは反論した。「なんだかんだ言ったたって、あたしたちの息子じゃないか。あたしたちを助けるのはあの子の義務だよ」

ルイスはテーブルから体を押し離すようにして、無関心そうに言った。「義務か。そんなもんなんかありゃしない」彼は裏口を開け、湿った午前を明るい日差しが乾かしている様子を見て嬉しくなった。「鳩小屋に行ってくる。なあ、引き出しから弾薬筒《たま》を二発もってきてくれ」

彼の散弾銃は階段下の食器棚に掛けてある。彼はラードのグリースで銃の中折れ部分に油をさし、銃身を掃除し、弾薬筒を込めた。

「ルー、どれくらいかかる？」

彼は銃を構えた。「三時ちょうどには帰ってくる」

「ウィリアムに手紙を書いちゃだめなの？」

「だめだ」彼は頭を横に振った。「いいかベシー、ちゃんと便所掃除しておくんだぞ」

彼の鳩小屋は柳で覆われた、こんもりとした緑の上に建てられていた。その下を校庭のフェンスが走っており、十五ヤードほどの泥の見える芝生が校舎とフェンスの間に広がっていた。家畜を通さず人だけ通す周り木戸型の門が立っており、半ダースほどの歩道がまがりくねって丘の低い方へと続いていた。ルイスは一番傾斜の軽い坂道を上って行った。鳩を放した。四〇羽の赤茶や青、濃淡がまざりあったもの、まだら模様のもの、灰色のもの。その群れの風切羽が音を立てた。鳥たちは自由に、広がって、高く飛び立ち、旋回し、羽を散らせながら、織り交ざるようにして急ぐように村の上を飛んでいった。高く上り、騒々しく山の方へ。その姿は緑の地にちりばめられたべっ甲のかけらのようだった。その様子をルイスは見ていた。彼の個人的な楽しみ、彼だけの専門家としての喜びだ。鳩たちは彼の一部だった。ベシーやエスター以上に彼の心に近い。それが彼の鳥たち、そしてヴァウルの坑道での掘進なのだ。

鳩小屋を掃除し、巣箱と止まり木にノミ駆除剤をふりかけ、それから傾斜屋根の後ろの樽から真水を運んだ。鳩たちはゴツゴツとした白い雲の下を並んで飛び回っていた。ルイスは、すっかり幹の方まで刈り込まれてしまった柳の木の下に座って、散弾銃を膝の上に置いた。そして遠くの地平の丘を見つめ、「俺の鳥に近づくなよ、ハヤブサめ」と、丸くなってしまった背中を木にもたれかけさせて言った。彼は彼の鳩たちの群れが芸をするように飛び回るのを見ていた。ハヤブサが愛する鳩たちを仕留めようと太陽から降下して来るときには、散弾銃が彼の若さを象徴したのだ。ずいぶんと年が経った。今ではハヤブサたちが谷の上で輪を描くことはほとんどない。

群れが頭上で旋回し、風に逆らって弧を描き、山の向こうに消えていった。ルイスは目を閉じた。何も考えずに、「シーシー」と歯笛を鳴らした。冷たく音程もない、まるで割れた窓ガラスの間を風が通り抜けるような音だった。彼は体を休めていた。

鳩たちが戻ってきた。柳の周りにシューっとまっすぐに降りてきた。羽をV字に広げて脚をしまったままで、こぶのついたくちばしにきらきらとする飛び出た目をした鳩たちだ。鳩は急いで上方に飛び上がり、広がって飛び、陰のかかった古い坑道の入り口へと向かっていった。まだ高く飛んでいる。まるで機械的に突き動かされるように、山頂に降る雹のかけらのように勢いよく飛んでいる。ルイスは散弾銃の隣に寝そべった。彼は咳をし、痰が出るまで喉をヒューヒューと鳴らした。

エスターが呼んだ。「ルー!」

ルイスは重い足をぎこちなく動かして丘の端まで行った。彼女は回転木戸のところから手を振っていた。「こっちに来な」と彼は言った。

「ダメなの、今は手が離せないの。学校で忙しいのよ。ルー、ベシーがガモン先生の報告について教えてくれたわ。軽めの仕事はもらえないの？」

「坑内のものはだめだそうだ」

「それじゃあ、どうするつもりなの、ルー」

「まだ分からん」

「わたし、バーナードに言ったの。それが筋よね、って。そうでしょ」

「あぁ……もちろん」

二人の間に沈黙が流れた。彼女の細いひじは水平に持ち上げられ、指がそれを掴んで、腕は胸の前で組まれていた。「残念ね」と彼女は言った。「それじゃあね、ルー」。彼女は控えめに小さく手を振って校舎に急いで入って行った。

ルイスは散弾銃を鳩小屋の中に立てかけた。通路の両側には板張りの階段があり、通路そのものはスクレイパーやハンマー、三角のこぎり、缶に入った釘、持ち手の無い小さな竹製のブラシ、鳩の餌の赤えんどう豆の入った小さな袋で散らかっていた。散弾銃の上には棚が二つあり、薬品、粉薬、模造卵〔過剰な繁殖の抑制のために使用〕、鳩のねぐら用の陶器のボウル、壊れた脚環、そして殺虫剤噴霧器が収められていた。

彼は刈り込まれた柳の木まで戻った。昔の強い渇望が首をもたげた。弱々しいひな鳥がつっつくようにして、それは彼の渇きをかき乱した。彼はエスターを、十七歳の落ち着いた少女を思い出していた。冷たくて無力で、役に立たない。彼はどうしようもない激しい怒りを感じていた。彼女は彼の気分を大いに害してきた。X線は、あの医事委員会は、あの最終的な証拠は、これよりももっとひどいものだっただろうか。一〇〇パーセントの炭じんか。彼女は冷めたかった。いつもだ。冷血なエスターめ。バカなやつらだ。彼女もベシーも、二人ともバカだ。若造のバーナードは母親の言いつけに従った。ヒョロヒョロであんなに弱くちゃどこにいっても何にもできやしない。ルイスは手を叩いた。「腹の立つばかげたことばかりだ、全部だ」。

彼は静かに自分を呪った。呪詛が次から次へとあふれ出てきた。支離滅裂な思考はだんだん弱まってみじめな気分になっていった。彼は木に背中から力なくもたれかかった。おれにとって彼女は無意味だった。ベシーも、ウィリアムも、バーナードも。おれだ、ルイス・リマー、五七歳、それだけ。くそったれの五七歳だ。正直言って、おれはヴァウル坑で誰よりも石炭を出した。それが今じゃこれだ。この体たらく。次はどうすればいい？　どうやって前に進む？　次はなんだ？　ちくしょう。

彼は鳩を探して周りを見渡した。抜けるような空、二羽のハシボソガラスが舞い降りてきている。ペン・アルグルイズ山の高い頂からゆっくりと。彼の黒い瞳がまばたきし、過去の記憶を立ち上がらせた。山でハヤブサを撃った時のことだ。雄のハヤブサがねぐらに帰るのを何時間も待った。暑く薄暗い夏の夕暮れ、崩れた岩の間に隠れながら、ゴールド・フレークを吸った煙を鳥打ち帽の中に吐き出し、両膝の間からその煙を下に逃がした。遠い、遠い昔のことだ。もうペン・アルグルイズに登ってからゆうに二十年以上は経った。今となっちゃもう無理だな。終わったんだ。くそ、そうだ、おれは終わったんだ。どうすりゃいいんだ。ガーデニングか。へっ、そこらの婆《ばば》あみたいに土いじりでもしてみるか。いや、あり得んな。きっとすぐに投げ出しちまう。

自分の鳩たちが羽音を立てるのが聞こえた。学校から通りまでつなげられた電話線に一羽の鳥がぶつかり、それにあわてふためいてバタバタと翼をはためかせたのだった。電話線には分岐用のコルクが点々とつけられている。ルイスは呪った。とぼとぼと斜めに丘を降りながら、電話線を呪った。彼が大きな音を立ててキッチンに入ってくると、彼が荒れているのに気づき、ベシーは彼を放っておいた。四時になると彼は口笛で鳩たちを呼び寄せ、餌を与え、散弾銃を家に持って帰った。ベシーは食器棚の引き出しに弾薬筒を戻した。

月曜日の午前、現場監督がルイスの坑道にやってきた。その後ろには班長もやってきた。脇に安全棒を抱えている。「ルー」部局長が言った。「君に悪い知らせを持ってきた」ルイスは若い同僚を浅い切羽に行かせた。石炭と頁岩《けつがん》の薄い層だ。それらの層は未採掘の炭層まで連なっていた。「右手側にまとめておくんだぞ、若造。ちゃんと囲っておくんだ」

男たちは石炭がらを半分ほど積載したトロッコの横に座り込んだ。「その悪い知らせってやつのことはよくわかってるよ」とルイスは言った。

年上で、左のこめかみに青紫の傷がまだらに見える監督がキャップランプのクリップを外して言った。「私は一〇パーセントで登録されてる。初期段階だ」

班長は「俺を信じるんだ、ルー。あのやぶ医者が全部を分かってるってわけじゃない」

と言った。

監督は顔をしかめた。「待て、ちょっと待て。ルイスについては、誤診の余地はないし、私にできることはもうないんだ、まったくな。理解してくれ、ルー。私に自由はないんだよ。実をいうと、ルー、事務所には君の一四日前の解雇通告が来てるんだ」

班長はタバコで黄ばんだつばを吐き出した。「おれたちはマンチェスターの旧鉱フォーフットの炭層からこのウェールズとイングランドの境の炭鉱まで働いてきたが、一〇〇パーセントのケースは初めてだ。あっちではものすごく固い無煙炭が取れる。地獄のかまどくらい固いのがな」

ルイスは監督に話しかけた。「掘り出した石炭の選別関連の仕事だったらおれに向いてるかもしれないな」

「あり得ない。私だってできることなら君を坑口のどこかに配属させてやりたいよ。何か私にできることがあったら、ルー、教えてくれ。何でもいいが炭鉱以外だ。それから、聞いてくれ、あんまり心配し過ぎないようにするんだ。生まれつき心配を治せるようにはできちゃいないんだからな」

ルイスは同僚たちのキャップランプが切羽から引き揚げて行くのを眺めた。彼は相方に大声で呼びかけた。その若者は通路に飛び降りてきた。ルイスは発破をかけた天井から岩石を引っ張り落とし続けた。彼の後ろでは、彼の相棒が石炭がらをトロッコに積み込んでいた。その若い同僚はシャベルの方にかがみこみながら言った。「で、労災暮らしになるの、ルー」

「ずいぶんと耳がいいんだな」とルイスは言った。

「昨日の夜だよ。昨日の夜、クラブでこの話を聞いたんだ」

「聞いたことは忘れろ」

「一〇〇パーセントなんでしょ？　皆そうだと思ってる」

「あのドラムをいっぱいにしちまおう」とルイスは言った。彼はクラブでの議論については知っていた。ルー・リマーは終わった。掘削を専門にする労働者は皆、コッホ共有墓地への同じ道をたどる。偏屈なルーは掘削のときにマスクをしたことがなかった。ケチでがめついから、発破のあとに砂ぼこりが収まるのをまってなんかいられない。目の前の自分の手すら見えない中でも、あの偉そうなルーはがれきの山でガラを積んでるんだ。絵にかいたような掘削屋だよ。奴らは皆、同じ道を行く。珪肺か肺病さ。皮と骨だけになるまで街中を這いずり回ることになる。葬儀屋がやってきて棺桶の寸法を取られる頃には骨だけになっちまうんだ。

誇りが傷つけられたことをひしひし感じ、ヴァウル坑での自分の評判がどうなっているか考えながら、ルイスは痩せた肘を押しのけるようにして、バールに均等に全体重をかけた。長い石板にひびが入ると、彼は足を引きずって後ろに下がり、再び梃子で力を加え、岩が砕けて落ちるまで腕を突っ張った。砕け落ちた岩を大きなハンマーで割った。彼の同僚が石をトロッコに積んでいく。ルイスは先へと進んでいき、重いツルハシを振り上げて通路脇の壁に振り下ろした。すぐに彼の作業靴の足元には石炭がらの山が出来上がった。積みあがった不安定な石の上に登り、彼はさらにツルハシを突き立てた。またプライドのことを考えた。後悔の念。窒息したような唸り声が口から洩れた。彼の砕けた自尊心は酷いものになってしまった。ツルハシのねらいを定めると、彼の身体は壁から離れるように本能的に向きを変えた。壁はぐらつき始め、かろうじてつながっていた石は彼の打ち付けていた側から音もなく滑り落ち、炭層に沿うようにして、投げ出された彼の腕の上に落下し、骨を砕いた。

若い同僚がトロッコのところまでルイスを引きずって行った。恐怖にかられて飛び出し、隣の切羽まで助けを求めて走る彼の耳には、骨が砕けるくぐもった音がこびりついていた。ルイスは狂ったように悪態を吐き続けていた。

二日間もの間、ベシーはふさぎ込んでいる夫に我慢していた。ルイスは暖炉近くの肘掛け椅子で寝食をした。ひげもそらず、陰鬱に、彼は炉辺のココナッツ繊維製マットに足を投げ出してそこから動かなかった。彼女が彼の鳩に水をやり、餌をやった。三日目の朝に彼女は彼が玄関で悪態をついているのを聞いた。ベシーは彼の肩に、薄汚れたダブルのジャケットをかけてやった。

「気を付けて、お願いだから、ルー」と彼女は言った。

肩を落とし、石膏ギプスで固められた左腕を胸元に吊り下げながら、彼はぬかるんだ道をぎこちなく歩いて行った。エスター・リースはそれを勝手口から見ていた。ルイスは丘をジグザグに登っていき、その背中を丸めて登る姿を、エスター・リースは眺めていた。可愛そうなルー、とエスターは思った。ぼろぼろにされて……。彼女は嫌悪感に鼻をしかめた。エスターはドアを閉め、バーナードの白いシャツのアイロンがけに戻った。

ルイスは鳩を放し、鳩小屋を掃除し、汚れを入念にこすり落とし、義歯の乾いた音に交じってゼイゼイと息を切らせた。疲れてはいたが、心の中は落ち着いてきていた。彼の鈍さは生来のものなのだ。彼のシステムから何かがすでに零れ落ちていた。それはマヒした腕を腹に抱えながらトロッコの横で助けを待っている間に、しみ出していく何かが出口を探り当てたかの様だった。彼は鳩小屋の横の木製の階段に腰を下ろした。眼下の谷には第二坑の上の方に煙突と線路の歩道橋が見えた。その遠くには朝の日差しに輝き、二階建ての炭坑労働者用の住宅や商店、石造りのチャペルとパブがメリン川の両脇に広がるのが小さく見えた。彼の疲労感は何か異質な充足感に圧倒されていた。

ベシーのイメージが、彼女がいたずらっ子だった幼少期から年頃の青春期になり、でっぷりと締まりのない中年になるまでのイメージがあふれ出てきた。柔らかな小さな笑いがルイスの喉をあたためた。少しして、餌やりのじょうごに食べ物を詰めてやり、きれいな水を運び入れ、入り口の網戸を閉めた。

彼は子どものような高揚感をもって丘を降りて行った。ベシーが朝食を作っていた。彼はふざけて彼女のニワトリの真似をした。チャボがいつもよりも大きな卵を産んでいた。「あたしの人生で」と彼女は彼におどけて厳かに言った。「ウィリアムをお腹に宿してからこのかた、そんな嬉しそうなあんたは見てないね。まあ、でもあの憎たらしい伝書鳩よりもあたしのニワトリたちのほうが役に立つわ。じゃ、午前中は買い物に行ってくるから。そんな腕でどうすんのか考えておいて」

「なあ」と彼は言った。「ルー・リマーのことでうろたえちゃいけない。そんな必要はないんだ」

家で独り、彼は一時間も便器に座っていた。血流が滞り彼の脚を痺れさせた。苦笑いを一つして、ルイスは足で床を踏みならした。苦笑いは咳を誘発した。きつい咳の発作で、彼が膝をつくほどだった。時間は徒費され、過ぎ去ってしまった。再び階下へ降り、台所へと行き、床板を持ち上げ、七八四ポンドをポケットに入れた。彼は小さな寝室に茶葉をひっくり返して茶缶を空にし、その缶に紙幣を押し込んだ。

あたたかな昼間、彼は鳩小屋へと続く緑の丘をとてもゆっくりとした足取りで登った。

散弾銃を体から離して、バランスをとりながら持っていた。鳩たちは地面にいた。ルイスはその間をぬって慎重に歩き、お気に入りの何羽かの名前を呼んでその勇気をたたえた。そして突然、優しく、しーっとすべての鳩を追い払ってしまった。

通路に身をかがめ、悪態をつきながら、安全装置を外し、やみくもに悪態をつき、骨折した腕を吊ったまま、口に突っ込んだ二連銃の銃口に歯を立て、彼の親指が引き金をなめらかに引いた時には、銃口が悪態の口枷となっていた。

時間は過ぎ去った。鳩たちがふわりと舞い戻ってきた。何羽かは小屋の屋根にとまった。穀物が零れ落ち、一羽の色の濃いまだら模様の雄鳩が深く豊かな声でさえずり、ごま塩柄の雌鳩の周りを気を引くようにして歩き回った。雌鳩は雄鳩の肩の羽を軽くついばんで応えた。雄鳩が上に飛び乗ると雌鳩は転がるようにして少しだけ横にずれて、軽く羽を広げた。二羽は離れて飛び回り、雄鳩が滑るようにして小屋に入り、そこでルイスのポケットからこぼれていた餌の赤えんどう豆を二粒勢いよくついばんだ。

ロン・ベリー「徒費された時間」解題

西　亮太

作者のロン・ベリー（Ron Berry）は一九二〇年に南ウェールズのロンザ渓谷にあるブライン・ウ・クムという小さな村で生まれた。本名はロナルド・アンソニー・ベリー。一四歳から炭坑労働者であった父に倣って炭鉱で働いていたが、第二次世界大戦中には英国陸軍兵として従軍し、商船隊にも参加している。一九五〇年代には北ウェールズのハーレフ・コレッジおよびロンドンのショーディッチ・コレッジの成人教育プログラムで学んだが一九五五年には南ウェールズに戻り、生涯そこで暮らした。自身の作品にたいするアカデミックな議論には常に懐疑的で、政治家主導の政治にも強い反発があり、生涯で一度も国政選挙の投票を行わなかったと言われている。南ウェールズに戻ってからは主に屋内水泳プールのマネージャー補佐として働きつつ、初の長編小説『狩る者と狩られるもの』（*Hunters and Hunted*, 1960）、をはじめとして計六つの中・長編小説を発表している。

ベリーは自身を自分の生まれ育ったコミュニティの年代記作者として位置づけており、個々の作品はそれぞれ舞台とする時代を映し出している。最初期の二作品では彼の前世代にあたるリース・デイヴィスやグウィン・トマスらの作品とはちがって、経済的に豊かで人々の暮らしも洗練され政治的な意識もそれほど高くないロンザ渓谷が描かれている。だがベリーは同時に、貧しかった炭鉱コミュニティが豊かになり社会が変化していくことで、それまでコミュニティをまとめ上げていた伝統的な価値観が衰退していく様子もつぶさに記録している。とりわけ代表作とされる四つ目の長編作品『炎とボタ』（*Flame and Slag*, 1968）は、彼の故郷にあったグレンロンザ坑の閉山と、「アベルヴァンの惨禍」と呼ばれるボタ山の大規模崩落事故が起きた一九六六年の直後に書かれており、死にゆく男性と衰退する炭鉱、そして消えゆく伝統的コミュニティが重ね合わされている。もう一つの代表作とされる『さよなら、ヘクター・ベブ』（*So Long, Hector*

Bebb, 1970）は二流ボクサーを主人公としながらも一四人の登場人物のモノローグがそれぞれ交差する形で複雑に編み上げられたテクストとなっており、ベリー本人も選手であったアマチュア・ボクシングの世界と変わりゆくコミュニティが描かれている。彼の作品はすべてロンドンでも出版されたが、事実上完全に無視され、地元ウェールズでもほとんど顧みられなかった。事実上の遺作となった『この過ぎ去りしもの』（*This Bygone*, 1996）の発表までベリーは実に二六年間長編小説を発表してこなかったが、その間に内省的な筆致で地誌をつづった『ハヤブサを眺めながら』（*Peregrine Watching*, 1987）を発表している。彼は一九九七年に亡くなっている。

本作「徒費された時間」（'Time Spent', 1982）は上記の空白の二六年間に発表された作品の一つだ。坑内作業の細かい描写や、じん肺とその保障が個人的な苦悩のレベルで丁寧に描かれている点、そしてそれらが集団的な組合レベルでの運動につながっていかない点など、ベリーの他の作品にも見られるテーマが描かれている。一点ユニークなのは鳩レースが前景化されている点だろう。スウォンジー大学の歴史学者マーティン・ジョーンズによれば、鳩レースは南ウェールズの産業地帯をはじめとした労働者階級文化において絶大な人気を誇ったにも関《かか》わらず歴史家からは一貫して見過ごされてきたが、「男性性とコミュニティへの自発的参加、そして経済的制約といった労働者階級文化の歴史において中心的なテーマが絡み合ったもの」*とされている。鳩レースはどれだけの私財を投入できるかという男性の稼ぎの問題でもあり、同時に、鳩をどれだけ細やかに世話できるかという献身や忠誠心が絡み合ってレース結果が出されるものであり、まさしく鳩を飼う男性の総合的な価値や魅力と繋がっていた。また、鳩への愛情やその世話が家族ぐるみでその絆を確認するものであることもあれば、家族よりも鳩への愛情を優先し家族の崩壊につながる場合もあったようだ。

主人公ルイス・リマーは長年坑内労働に従事してきた自他ともに認める優秀な炭坑労働者だが、末期のじん肺患者となり、仕事を続けることができなくなってしまった。肺に積もった炭じんは彼の誇り高き労働の時間がもたらしたものでもある。家庭内の複雑な問題もあり自尊心を著しく傷つけられて、彼は悪態と呪詛を振りまきながらも、愛する鳩に若々しさや自由を見出し心のよりどころとしている。最後の悲劇的結末をどう理解するか、とりわけ彼の男性性との問題からどう考えるかは意見が分かれるところかもしれないが、作者の描き出した一人の男性の短い「終わり」の物語が、同じく終焉を迎えつつあった炭鉱とそのコミュニティの生活と文化を紋切り型ではない生きられた語りとして描き出し得ており、その「終わり」の歴史を消尽させない力強さを獲得しているという点については、賛同を得られるだろうと思う。

注：Martin Johnes, "Pigeon Racing and Working-Class Culture in Britain, c. 1870-1950," *Cultural and Social History*, Volume 4, Issue 3, 2007. pp. 361–383.

ハード・アズ・ネイルズ

レイチェル・トレザイス　河野真太郎＝訳

Hard as Nails

Rachel Trezise

LICENCED
RESTAURANT
SPRESSO BAR
TAKE AWAY
SERVICE

エプロンは猫の毛だらけで、胸やスカートや襟のピンクの綿地から黒い針のような毛が飛び出ていた。iPodのコードをほどこうと夢中になって歩いていて、トリニティ・ロードの端にたどり着くまでわたしはそれに気づかなかった。サロンで使っているハーブ入りハンドローションには、マタタビみたいな効果のある何かが入っている。スーティが夢中になるんだもの。もしエプロンをたんすに掛けておかなかったら、塩まみれのナメクジみたいにその上でグルグルしちゃう。昨晩はヨガのレッスンで、わたしはサロンの制服をバスルームの床に脱いだままにして、後をついていっては掃除をしてまわらなきゃいけないのにうんざりした母が、そのままにしたんだ。わたしはiPodをほどくのはあきらめて、耳からイヤホンを引っこ抜いて仕事用のバッグの中に突っ込んだ。もう緊張してきていた。起きてすぐにポンティプリッズの新しいネイルサロンからの手紙を読んで、それには一週間後に面接に来るよう書いてあった。〈ハード・アズ・ネイルズ〉でひどい一週間をすごした後に、思わず履歴書を送ってしまったのだ。そもそもジョアナはまともな給料を支払わないし、おまけにチップも没収する。でもわたしが辞めようとしていることにジョアナが気づいたらと考えると、身がすくむ。

角を曲がって本通りに入ったのは、八月の半ばのある金曜日の八時四五分だった。空は鱗雲で、町はじめじめした臭いがした。セレンが店を開けていた。彼女は控え室で、椀をひざのあいだに乗っけてシリアルを食べているところだった。わたしは受付に直行して、仕事着から猫の毛を取るためにセロテープを何切れか切り取った。

ジョアナは九時ちょっと過ぎに、一六歳の息子のコナンを連れて出勤した。コナンはステンレスの水切りを頭にかぶっていた。両側に小さな把手がついていて、側面には、SALAD、PASTA、FRUITSといったぐあいに食べ物の名前が型抜いてあって排水穴の役割をはたしているタイプ。コナンはそれを彼の「ブリトニー・ヘルメット」と呼んでいた。それをかぶっていると、ブリトニー・スピアーズと精神感応できると考えていたのだ。コナンの精神年齢は一一歳程度だったが、カメラのような記憶力を持っていた。彼はテレビで聞いたことを覚えては、それを何ヶ月もつづけてくりかえすのだ。「この子は本当にイライラさせるわ」とジョアナは言い、彼を肘掛け椅子に座らせた。「ベビーシッターがまた使えなくって」。ジョアナは冷蔵庫に向かう。彼女が冷蔵庫を開けると、セレンが手に持ったスプーンをあんぐりあけた口の前で止めて固まった。「そんなこったろうと思ったよ」と吠えるジョアナ。「牛乳ないし」彼女がドアをばたんと閉めると、中のワインボトルががしゃんと音をたてる。「買いに行くわ」とセレン。彼女はスプーンを皿の中に落とし、ミルクがはねる。「買いに行く。あたしのせいだもの」

ジョアナはセレンを、みじめそうにねめつけた。「いや、あたしが行く。あんたじゃ時間がかかりすぎるもの。やかんかけといて」ジョアナは振り向いてハンドバッグをつかみ、店から出て行った。しばらくの間、部屋はドアのベルの残響で満たされて、しんとしていた。「コナン、今日はブリトニーは何て言ってんの?」とセレンはスプーンを取り上げながら聞いた。コナンはこぶしで水切りをコツコツした。「彼女は、」と彼は、もったいぶってちょっと間をおいて言った。「僕らの脳は愛情に満ちた関係からしか育たないと言ってる。残酷な扱いを受けた子供は残酷な大人になって、人にたくさん気を遣ってほしがるようになるんだって」セレンはうつろに頷いて、泥べちゃのような朝食をスプーン一杯、彼女のつやつやとした唇の間にすべりこませた。それはさわやかな、柑橘類のような匂いだった。「それは何?」と私はセレンに尋ねた。セレンは一五歳のチェーンスモーカー。朝食で食べるといえばアズダ〔イギリスの大衆スーパー〕で買ったドーナッツか、マックのマフィンだけだった。「マンダリンオレンジ味よ」と、くちゃくちゃとやりながら喋る。

「そのミルクがけってわけ?」

「そう」するとその時、騒ぎが外から聞こえてきた。ジョアナの喧々とした声。わたしたちは立ち上がって店の玄関へとよろめきながら殺到し、三人で正面ドアから顔を突き出して覗いた。ジョアナはミセス・ウィンターボトムを、銀行の砂利壁に押さえつけていて、二人の鼻の先がほとんど触れそうになっている有様だった。「何年よ?」とジョアナは、一語ごとにミセス・ウィンターボトムのそばの壁を叩き、怒りで呼吸を荒げながら、彼女の顔めがけて叫んでいた。

「いや、そんなにカッカしないでよ」とミセス・ウィンターボトムはジョアナの拘束から逃れようとしながら言った。「言ったでしょ。娘が割引券をくれたのよ。ふつうだったら、あなたのところに行ったわよ。わかってるでしょ、ジョアナ」ジョアナは、ミセス・ウィンターボトムが、通りの反対側にあるライバルのネイル・サロンから出てくるところをつかまえたのだ。「何年よ?」と彼女は、唾をまき散らしながらくりかえした。その頃には検眼士も、彼の白衣の襟をいじりながら店先に出てきていた。

「二年よ、ジョアナ。あなたがここに店を出してからの二年だけ」

「そうね、二年間うちに通った、それでおしまい」とジョアナは急き込んで言った、「あなたは〈ハード・アズ・ネイルズ〉には、永久に出入り禁止よ。それもこれもあなたのくそったれの娘のせいね。〈アメリカン・ネイルズ〉に行きたいですって? ああどうぞご自由に。全部自業自得よ」ジョアナはきびすを返してわたしたちの方に向かってきた。わたしは彼女が近づいてくると思わず縮み上がった。もし面接のことが彼女にばれたらこれと同じ目か、たぶんもっとひどい目にあわされる。彼女に挽肉にされちゃう。「何見てんのよ!」ジョアナは言った。「中入って! ほら!」彼女は手を叩いて、わたしたちを追い立てた。わたしたちがみんな店に入って、ドアのベルが鳴る中で、ジョアナは言った。「もういい。もううんざり。来週は予約がないから、店を閉めて、ベニドルムか、アリカンテか、どこでもいいから安い素泊まりホテルを予約しましょ」

前の年に暴動〔一九一〇年にトニーパンディの坑夫たちが起こした暴動のこと。出来高制にしようとした炭鉱主に対するストライキが暴動化した。ウィンストン・チャーチルはこれに軍隊を送って対応した〕の百周年記念祭があってから、トニーパンディは奇妙な感じだった。暴動を記念して町を行列が練り歩き、町議会が駐車場で彫像の除幕式をした――それは〈ランプを掲げたレディ〉と呼ばれるもので、茶色のドレスを着た女性が、ランプを頭の上に載せているというものだった。遠くから見ると彼女はビールをがぶ飲みしようとしているところのように見えた。除幕式の後、みなでスーパーマーケットの外に集まって、手袋をした手でラガービールの缶を持って、レーザーショーを見たのだった。ジョアナはあんまり酔っ払ってしまったので、彼女の一張羅の靴のヒールを溝にはめてしまい、家までびっこをひきながら、あちこちで氷を踏んで足をすべらせながら帰らなければいけなかった。あれは日曜の夜だった。次の日はサロンは休みになった。それで火曜日に出勤してみると、通りの向かい側の、閉店して板が打ちつけてあった宝石店が、ネイルサロンになって開店していた。大きなアメリカの国旗が描かれた看板と、ウィンドーにはネオンサイン。ジョアナは卒中を起こさんばかりだった。ジョアナは戸口に立ち、束にした鍵を強く握ったものだから、その金属のぎざぎざが手のひらに食い込んだ。「一体全体なんだっていうの？」と彼女はぶつぶつと言っていた。「こん畜生ったらありゃしない。一体なによ？」セレンはコーヒーを淹れてマグカップをジョアナに渡そうとした。彼女は手を振ってそれを拒んだ。目はどんよりとしていた。三〇分後、彼女は「わかったわ！」と言った。レジを開けてそこから四〇ポンドを取り出し、セレンの手に押し込んだ。「あそこ行って、ヒートミトンのマニキュアやらせてみなさい。お手並み拝見といこうじゃないの」

セレンは天使よりも軽やかに店から出て行って、通りの真ん中でタバコに火をつけるために立ち止まった。わたしは彼女を呼び戻さなければならなかった。「エプロン取らないと」とわたし。「わたしらのサロンの名前でばれちゃうじゃない」セレンはボタンをはずして作業エプロンを脱ぐと、代わりに自分のパーカーを着た。

「よーく見てくるんだよ」とジョアナ。「それから、チップなんか絶対やっちゃだめだよ」ジョアナは窓のところに戻って、セレンが通りを渡るのを見た。

「ほんとにアメリカから来たんだと思います？」とわたしはデスクから尋ねた。

「ばかなこと言わないで、ケイラ」と彼女は答える。「マーディ谷か、ほかの谷《ヴァリー》から来た連中よ」わたしが言いたかったのはネイリストのことではなく、マニキュアのことだった。アメリカでは爪をポイント型にやすりがけするけど、ヨーロッパではスクウェア型。こういうことは美容師資格試験で習った。わたしはセレンとは違ってちゃんとした資格があった。ジョアナは、セレンが中等教育修了試験《CSE》を受ける前に、彼女の従姉妹、つまりセレンのお母さんに頼まれて彼女を雇ったのだ。ジョアナは彼女の道具台を整理整頓して、ネイルポリッシュの色をアルファベット順に並べていた。彼女は爪やすりが一杯に入った容れ物をデスクの上で一インチずらし、それをしばらく真剣に眺めていた。それからそれをまた反対側に移した。そしてなにやらぶつぶつと独りごちたかと思えば、それを元の位置に戻した。最初の客が来店し、わたしがしばらく忙しくコーヒーを淹れたりタオルを温めたりしていると、セレンが、頭には秘密の情報をぱんぱんにつめて、目を嬉しさでうるませながら戻って来た。

「どこで油売ってたのさ」とジョアナ。「時間かかりすぎでしょ？」

セレンはサロンの真ん中に立ち、注目を楽しんでいた。「支那人《チンク》だわ」と吐き捨てるように。

「何だって？」と、ジョアナは髪を耳の後ろへたくしながら言った。まるで耳にそれがかかってるせいでその言葉を聞き間違ったとでもいうように。

「支那人《チンク》よ」とセレンは言った。「六人よ。みんなただ座って、口にほこりが入らないように顔にマスクしてんの。あいつらしゃべらないのよ。何にも言わない。メニューを渡されて、そこから選ぶの。注文を指させば、それをやってくれるってわけ。たぶん連中、英語がしゃべれないんじゃない？　愛想も何もあったもんじゃない」

「休みにはどこに行くとか、そういう会話はないわけ？」

「何も聞かないわよ。死体置き場でネイルをやってもらってるみたい」セレンはわたしの前のデスクにおつりを置いた。いいマニキュアを使っていた。ベージュ・ピンクのポリッシュはなめらかで輝いて、甘皮の処理さえしてあった。ジョアナはマニキュアを見せてとさえ言わなかった。〈アメリカン・ネイル〉のネイリストが外国人だというだけで、恐るるに足らずと思ったのだ。クリスマスのかき入れ時の商売につまづいた時にさえも、ジョアナは新年になれば物事は平常運転に戻るだろうと期待したのだ。二月のはじめになっても景気がよくならないと気づいてようやく、彼女は色々と訊いて回りはじめた。彼女らはどこから来たの？　不法就労じゃないの？　店の経営は誰がしてるの？　彼女たちは、谷のむこうの食べ放題中華レストランのコックの妻たちだ、という者もいた。不法就労者で、三合会〔香港を拠点とする犯罪組織〕によって売り飛ばされてきた奴隷労働者だと考える者もいた。経営者についての噂は雪だるま式に大きくなっていった。ある日には彼は二四才で、ハマーに乗り回して首には蜘蛛の巣のタトゥーをしていると噂された。次の日には彼は一九才で、ハマーはポルシェ・パナメーラに化けて、タトゥーは頬まで這い上っていた。

「前からそうだったよ」とは、肉料理レストランでサンデー・ランチを食べながらその話をした時の、わたしのじいちゃんの言だった。「中国人はここで、壺の中の蟹《カニ》みてえにうじゃうじゃと寄せ集まってたもんだよ。あの頃は洗濯屋だったたな。洗濯屋をやっとったよ」

ジョアナが、古なじみの客を裏切り者といって攻撃したのはそれが初めてではなかった。スーザン・プロッサーのハンドバッグの底に、〈アメリカン・ネイルズ〉のレシートがくしゃくしゃになっているのを炭鉱組合クラブで見つけた時に、ジョアナはバカルディ・ブリーザーをボトル一本分、彼女の頭の上にぶちまけたのだ。一緒に休暇に出かけるのも初めてではなかった。三月にはイビサに一週間行った。基本的に、ジョアナはわたしたちにつきあわせるために連れて行った。彼女には自分の友達というものがなかった——誰もいないトイレの個室で誰かと言い合いを始めるような女だったのだ。ジョアナは飛行機代、ホテル代、食べ物や飲み物などすべてを払い、それから戻るとその埋めあわせとしてわたしたちの給料から三〇パーセントを天引きしはじめたのだ。

わたしたちがスペインはベニドルムの町中のアパートメントに到着したのは、ある金曜の晩の早い時間だったが、それはわたしがポンティプリッズで面接を受けるはずの日だった。わたしは数日前にサロンの経営者に電話をして、行けないと伝えた。彼女は約束のキャンセルを即座に拒んだ。あなたの履歴書に感心しているのだ、と経営者は言った。彼女は面接を次の週に再設定してくれた。わたしたちは荷物をアパートメントに置いて、数ブロック東の、ジョアナが評判を聞いていたスコティッシュ・パブに行った。

「ウェールズ風のバーもここにはあるのよ」と、わたしたちがバルコニー席に着いた時にセレンが言った。「アパートメントの受付で広告を見たの」

「そこには行けないわ」と、ジョアナがサングラスをはずしてラミネート加工されたメニューを調べながら言った。「出入り禁止なの。一九八七年以来ね」彼女は料理のリストを熱心に見つめて、それ以上の説明をしようとはしなかった。「お願い《オーラ》」と彼女はウェイトレスが近づいてくると叫んだ。「スカンピ・アンド・チップス〔エビのフライとフライドポテトの料理〕を三つ、それからバックファースト〔イギリス産のカフェイン・アルコール添加ワイン〕を三パイントね」彼女はウェイトレスに渡す前にメニューで自分を扇いだ。「他には?」とウェイトレスは尋ねた。

「いや、」とジョアナは言った。「パンとバターももらおうかしら」

わたしはシーザーサラダを頼みたかった。「魚は嫌いなんですけど」と、足の後ろ側を画鋲や針でつつかれるようなパニックの感覚を覚えながら言った。「そんなことないでしょ」とジョアナ。「どっちにしろエビだし。エビは魚じゃないでしょ」ウェイトレスが、赤色の飲み物が入った大きなグラスを三つ持って戻って来た。「試してごらん」とジョアナはトレーからグラスをひとつ取り、わたしに渡しながら言った。それは甘くどろりとしていて、カルポール〔幼児向けのシロップ状の解熱剤〕のようだった。「おいしい」とわたしはジョアナに合わせて言った。一緒に飲むための水を一杯頼みたかったけど、ウェイトレスはもう別のテーブルに急いでいるところだった――タイミングを逸してしまった。料理はすぐに来て、わたしたちはナイフとフォークを取り出し、包んであった紙ナプキンを横に置いた。「今夜は大人しくいくわよ」とジョアナはフライドポテトをむしゃむしゃやりながら言った。「はめをはずす時間はあとでいくらでもあるから、今晩はそうね、海辺のバーで何杯か飲むくらいね」セレンとわたしは視線を交わした。ジョアナが大人しくなんかしていないのは分かりきっていた。

「いい？」とジョアナはぴしゃりと言った。

「はーい」とセレンは哀れっぽく言った。

ジョアナはわたしをにらみつける。

「もちろん」とわたし。「それでいいです」

アパートメントに戻ると、ジョアナは空港で買ってきたウォッカを、キッチンの食器棚にあったマグカップになみなみと注いだ。彼女は自分のスーツケースの中身をベッドの上にぶちまけて、ヘアアイロンを探し出した。「電源アダプター貸してよ」とジョアナ。「あたし持ってくるの忘れちゃったの」アイロンが温まるのを待っている間に、彼女はバルコニーに出た。そこではセレンが煙草を吸いながら、赤く菱形になった太陽の光から目をおおっていた。

「どうしたのさ」とジョアナはセレンに尋ねた。「ほら早く早く。ここでぐだぐだしてたら、飲むための大事な時間を無駄にすることになるのよ。一張羅に着替えて」わたしは、おばあちゃんが使う格言に出てきそうなこの「一張羅」という言い方にうんざりした。でも、ジョアナは四一歳なのだ。そういう言葉遣いも仕方ないのだろう。ジョアナはバルコニーの手すりによりかかって、海の眺めを背にした。

「あまり気分が向かないんだけど、ジョアナ」とセレンは煙草から灰を落としながらもぐもぐ言った。

「気分が向かないってどういう意味よ？」とジョアナは言った。わたしはバルコニーのドアに近づいて、デオドラントの缶をぎゅっと握りしめながらセレンの答えに耳をそばだてた。セレンは何も言わなかった。「他に何をしようっていうのさ？」とジョアナは、見下すように、鼻にしわをつくりながら彼女に訊いた。

「一時間ほど横にならせて欲しいの」とセレンは言った。「ちょっと消化不良で。あのバックファーストとかのせいにちがいないわ。ちょっと経てば大丈夫だから。後からついていくわ」セレンは煙草を灰皿に押しつけて消した。

「消化不良だって？」というジョアナの声は不信の気持ちで上下した。「あんたまだ一六歳でしょ、六一歳じゃなくて。休暇に来てんだからさ、セレン」セレンは椅子から立ち上がって、ぐにゃりぐにゃりとベッドルームへと歩いていって、ドアの後ろにいるわたしの存在は無視した。彼女はベッドの上に座って横になり、お腹の上に腕を交差させた。ジョアナは彼女を追ってベッドルームに入っていった。

「お願い、ジョアナおばさん」とセレンは、ジョアナに何か言う間を与えずに言った。

「三〇分独りにしてくれたらよくなるから」

「PMT《月経前緊張》かなにかじゃないの」とジョアナ。セレンの目はかっとなって光ったが、彼女はそれには反論しなかった。セレンは横向きになって、ひざを抱えて胎児のような格好になった。

「じゃあ、あなたと二人だけで行きましょ」とジョアナはわたしの手からデオドラントを取りながら言った。彼女がトップスをたくしあげて腋にスプレーをすると、部屋は甘ったるいバニラの香りでむんむんとなった。わたしたちは海辺へと歩いていって、漁網だとかゴム製のサメだとか、海の装具が散らかった小さなバーの〈アクロポリス〉に行った。このバーは上壁に留めつけてつるしてあるクリスマスのイルミネーションで照明がしてあった。わたしたちはバーに座って、ジョアナは二人のためにサングリアのジャグをひとつ頼んでいた。彼女はつづいてそれを注いだが、自分のグラスはなみなみ一杯に、わたしのは半分だけしか注がなかった。「あの娘はどうしたのかしらね?」と、彼女はグラスの縁を顔に押しつけながらわたしに尋ねた。

わたしは無関心そうに肩をすくめた。「消化不良だって言ってましたよね」

ジョアナは納得のいかない様子でしかめっ面をしたけど、何も言わなかった。二〇代半ばのイギリス人の男たちがぶらぶらと入ってきた。髪の毛は頭蓋の近くまで刈り込み、いろんな色やデザインのチェックのシャツを着ている。「ほらおいでなすった」男たちが飲み物の注文の列を作ってわたしたちのまわりに集まってくると、ジョアナは口の端の方で小声で言った。彼女の隣の男が注文をしている時に、ジョアナは腕を伸ばし、首を掻くふりをしながら、計略的に彼の脇腹に肘を入れた。「ああ、ごめんなさい、お兄さん」と彼女は彼の方に振り向き、それから、彼を頭からつま先までながめて、「あら、あなたイカすじゃない？　あなたみたいなハンサムな人に出会えるなんてラッキー」

わたしがなんとか抜け出すのに成功した時には、もう午前一時になっていた。ジョアナは男性用トイレとキッチンのあいだの廊下を即席のダンスフロアにしていた。彼女は獲物のイギリス男と一緒にラップソングに合わせてくるくると回り、背をアーチさせて彼女の腰を彼の骨盤にこすりつけ、彼のごつごつした労働者の手は彼女の尻になんとかはりついているスパンデックス製の黒スカートを押さえていた。わたしはドアから抜け出して、アパートメントへの帰路についた。道の両側ではバッタがキチキチという音がして、バーの音楽の低音はだんだんと薄まっていった。飲んでいた錆のようなワインの味と、海岸から吹き上げられてくる潮の味を一緒くたに感じた。わたしたちの泊まっている建物に近づくと、ジョアナが呼んでいるのが聞こえた。ふり返ってみると、彼女は靴を手に持って、コンクリートの道をよたよたと歩いていた。わたしは見ないふりをした。彼女がバーに戻ってくれるといいと思いながら、建物に入っていった。

アパートメントの玄関は鍵がかかっておらず、戸口を通り過ぎたとき、空気が重たくなるのを感じた――外から吹くそよ風が消えてしまったのだ。アパートメントは、汗をかいた足の臭いがした。「セレン?」彼女のベッドにはだれもおらず、ベッドカバーは引き上げられていた。バスルームのドアの下から光が漏れて、ホールの床のリノリウムの上に細い黄みがかった銀色に反射をしていた。セレンはシャワーの下で自転車こぎ運動のような格好をして、彼女の足は上を向き、ペディキュアが裸電球の光を反射して、そして彼女の剝き出しの陰部が丸見えだった。「セレン?」とわたしは、彼女がアソコを隠してくれることを期待しながら尋ねた。彼女は鼻から騒々しい息を吐いた。まだ彼女の顔は見えなかった。「セレン?」わたしは近づきながら言った。わたしは彼女を見つめないではいられなかった。彼女の小陰唇が横にめくれ上がった口のように見え、それからその唇のあいだに、なにか硬いもの——四分の一に切ったオレンジの皮の側が表に出ているような様子を見ないではいられなかった。赤ん坊の頭。彼女は出産中だったのだ。

「嘘でしょ！」と言った自分の声にわたしはびっくりした。

「ぐうううううう」とセレンはうなり、歯ぎしりをした。赤ん坊の頭は突出して、どんどん彼女の体から出てきた。目を閉じ、肌は黄褐色でぬらぬらとし、安い石鹸のようだった。黒っぽい縮れ毛がちらほらと、モヒカンのような帯状に、赤ん坊の頭の中心に生えていた。わたしがバスマットの上に膝をつくと、ちょうど赤ん坊の体が全部出てくるところが見えた。赤ん坊はシャワー・トレーの床にドシンと落ち、その胴体はアザミ色で、血の斑点がついていた。ゴムひものようなへその緒がそのお腹の上に落ちてきて、とぐろを巻いた。わたしは赤ん坊をさわろうと手を伸ばしたが、さわることができずにまた引っ込めた。わたしは生の鶏肉をさわることができないくらいに神経質なのだ。家では母が、バターとタイムを塗り込んでオーブンで焼く準備のできている頭のない鶏の体を持って、キッチンでわたしを追い回してからかったものだ。

「セレン？」いまやとりわけ意味がある呼びかけとしてではなく、単なるくり返しでわたしは言った。

「もう出た？」セレンは、疲れているけれども希望に満ちた声で訊いた。

「うん、出たよ。生きてるかどうか分かんないけど」セレンは後ろに引き下がって赤ん坊から身を引き離し、シャワー・トレーの端にしゃがみ込んだ。そこで初めて彼女の顔を見た。赤くなり疲れ果てて、白目には内出血した血管が浮いて見えた。「救急車を呼ぶわ」と、すばらしいアイデアを思いついてわたしは言った。救急番号が一一二なのは知っていた。ジョアナがイビサのバーでの喧嘩をしたときに使う機会があったのだ。携帯電話はわたしの手の中で水のようになってしまっていた。それは続けて二回落ちて、バスルームのタイルの上でプラスチックが音を立てた。

「救急車をお願いします」とわたしは受話器の向こうのスペイン語の声に向かって言った。アルコールでちょっとろれつが回らなかったけれども、いまや素面《しらふ》だった。ジョアナが現れるまでには、その電話は終わっていた。彼女は部屋に突撃するように入ってきて、しっかり立つために流しの端をつかんだ。「あのさあ」と彼女は何か面白話をしようとしたが、そこでシャワー・トレーの中の小さな体に気づいた。「それ、赤ちゃん？」彼女は強い明かりに目を細めながら、冷静に言った。「それで、ペディキュアどこでやってもらったのよ？　その色、あたしたちもまだ手に入れてないわよ。コズミック・ラテ。まだ発注して届いてないやつよ」

「救急車呼んだわ」とわたしは言った。即座にジョアナは部屋を出て、キッチンの引き出しからハサミを取って、プラスチックの把手に指を突っ込んで戻ってきた。彼女はシャワーの下にかがみこんで、血まみれのへその緒をつかもうとした。「やめて」とセレンは言った。「あたしにさわんないで」

「彼女にさわらないで」とわたしはロボットのように繰り返した。

ジョアナはわたしたちを無視して、臍の緒を手でつかんだ。素早くハサミを一閃させてそれを半分に切った。彼女は、ハサミはバスマットの上に置いて、赤ん坊を取り上げてお腹の前に抱きかかえた。「なんで言わなかったの、セレン？」と彼女は言った。「どうして一言もなかったの？」ゆっくりと彼女はシャワーから後じさり始めた。彼女はバスルームの真ん中に立って、やさしく赤ん坊をゆすった。「あなた、自分がどれくらい幸運か分かってないわよ」と言う彼女の声はつぶやき声に、普通には聞かれないような満足げな声になっていた。「こんな完璧な赤ちゃんが手に入るなら、わたしはなんでもやったわ。わたしには何が手に入ったと思う？　発達障害で、絶対治りっこない子供よ」彼女は腕のなかで赤ん坊をひっくり返して、顔を見た。

「彼をセレンに渡して」とわたしは言った。

ジョアナは、まだシャワー・トレーにしゃがみ込んでいるセレンをうつろな目で見た。

「あたしはコナンを生んだ後、不妊手術をしたの」と彼女は言った。「同じリスクはもう冒せないもの」

「救急車はもうすぐ来るから」とわたし。「ジョアナ、赤ん坊をセレンに渡して」

ジョアナの耳にわたしの言葉は何も届いていないようだった。たぶんわたしはまったく喋っていなかったのかもしれない。「赤ちゃんはいらないんでしょう？」とジョアナはセレンに、まるでげんこつなんて欲しくないよねと訊いているかのように尋ねた。「一六歳でしょ、あなた。お母さんはかんかんになるわよ」彼女は、赤ん坊の小さな手を彼女の指でつかみながら、赤ん坊をゆらしていた。

「カイの子なの」とセレンが、シャワー室の中からか細く高い声で言った。

わたしたちは、頭を手で抱えているセレンを見た。「誰だって？」とジョアナが言った。

「カイよ」とセレンは言った。「〈アメリカン・ネイル〉の経営者よ」それから、もう少し力強い声で、「あたしの赤ちゃんよ、ジョアナ。返して」セレンは赤ん坊を求めて腕を伸ばした。

ジョアナは後じさった。「いやよ、セレン」と彼女は言った。「あなた、赤ちゃんなんか欲しくないでしょ？」彼女はきびすを返して玄関に向き、決然とそちらに向かって歩き出し、一歩進むごとに彼女の裸足の足は鋭く引き裂くような音を立てた。

「戻って来て、ジョアナ」とわたしは彼女に向けて叫んだ。「赤ちゃんをセレンに返して」わたしは、自分が動いたことに気づく前に彼女を追ってホールにいた。ジョアナは、玄関を開けっ放しにしたまますっと姿を消してしまった。わたしは通路に進み出た。彼女が階段の半ばを下りている足音が聞こえた。

「独りにしないで」とセレンが呼びかけて、その声にわたしは引き戻された。

わたしはベランダのドアのところに行き、ガラスに顔を押しつけて、ジョアナがビーチに向けて、赤ん坊を胸のところでくるんだままよろよろと進んでいるのを見た。

救急車はセレンを医院に連れて行った。二人の警官がわたしを警察署に車で連れて行った。二人はわたしをからっぽの部屋の木の椅子に座らせ、スペイン式英語《スパングリッシュ》でジョアナと彼女の行き先について質問をした。「彼女はビーチに行ったわ」とわたしは彼らに言い、ずっとそれを繰り返してついにはわたしの耳に聞こえるのは血管が頭蓋の側面でどくどく言っている音だけになり、舌はあまりにも乾いてしまって言葉を形にすることができなくなってしまった。その後警察はわたしを、手にはジャガイモ袋のような薄いチクチクとする毛布を持たせて、独房に入れた。わたしは不快感を減らそうとマットレスの上でのたうち回ったが、金属のスプリングの一本一本が体に刺さった。わたしは催眠状態に陥って、脳の半分では短く炸裂する夢を見て、もう半分はつめたく、霞のかかった現実を見つめていた。ある瞬間には外の廊下でジョアナの声が響くのをたしかに聞いたと思った。「精神障害」と彼女は何度も何度も叫んでいた。「精神障害、〈アメリカン・ネイルズ〉、精神障害、〈アメリカン・ネイルズ〉」

目を覚ますと、警官が一人、それから赤毛の私服の女性が独房の入り口に立っていた。流しの下の通気口を通して、日の光が少しだけ差し込んでいるのが見えた。「ケイラ?」とその女性は言った。「わたしはイギリス大使館から来た代理人です」彼女はかなり強いバーミンガム訛りで、胸の谷間にはそばかすがあった。「助けに来たんです。わかる?」彼女は町の中心にあるわたしたちのアパートメントに車で送ってくれ、わたしを屋内に歩いて連れて行ってくれた。玄関はスペイン警察の黄色のテープで封鎖してあった。わたしは立ち止まって、ぽかんとそれを眺めた。「大丈夫よ」と彼女。「あなたの持ち物を回収するだけだから。許可は取ってあるわ」彼女はわたしの手から鍵を取ると、玄関を開け、テープを剥がしてその下をかいくぐっていった。汗をかいた足の臭いはなくなっており、そのかわりにアロエ、鉢植えのサボテン、バルコニーのさまざまな植物の香りに満ちていた。「あなたのスーツケースはどれ?」わたしたちは二人でわたしの持ち物をピンクの車輪付きスーツケースに放りこんでいった——ビーチサンダル、下着、不格好な電源アダプター。ジョアナのヘアアイロンはあいかわらずベッドの上に、V字形に開いたまま置いてあった。

「洗面用品がまだバスルームにあるわ」と、その女性がわたしの代わりに取ってきてくれることを期待しながら言った。血痕や、バスマットの上のハサミを見たくなかったのだ。「じゃあ、取りに行きなさい」と彼女はわずかな微笑みとともに言った。「自分で行かないと。わたしじゃあ何があなたので、どれがセリーンのか分からないでしょう?」彼女はセレンに余分のEをつけて「セリーン」と発音した〔セレン（Seren）はウェールズ名で、このイングランド人の女性は聞き慣れないこの名前をうまく発音できない〕。彼女はジョアナのことは触れなかった。シャワーは白いプラスチックのシートで隠されて、ここでも黄色の警察のテープでそれが留められていた。わたしは流しの上の棚からデオドラントの缶とカルヴァン・クライン・ワンの香水を取って、共用エリアに戻った。

「空港に行く準備はできた?」と女性は尋ねた。「三時間半後に、ガトウィック空港行きのフライトが出るのよ」わたしは頷いた。「その代金を払うお金は大丈夫?」わたしは、美容資格試験の講座のために使ったクレジットカードに三百ポンドの残高があった。

　母がロンドンのターミナルビルで待っていた。彼女はきつすぎるハグをした。二時間後にリー・デラメアの高速サービスエリアに着くまで、わたしたちはしゃべらなかった。

「セレンはまだ病院にいるわ」と母は、レジで並んでいる時に言った。「停留胎盤ですって。後産がうまく出なかったのね。でも医者がちゃんと看てくれるわ。大丈夫。ジョアナだけど、嬰児殺《えいじさつ》で逮捕されたわ」

「嬰児殺？」わたしは財布を開けて、ユーロしか持っていないことに気づきながら尋ねた。

「殺人よ」と母。「赤ん坊のね。あの人はどこかまともじゃないって思ってたわ。こんなことをやらかすのも時間の問題だとね」

わたしは財布のジッパーを閉じた。「彼女が赤ちゃんを殺したなんて思えない」とわたしは言った。

「しーっ」と母。わたしたちはレジに近づいていた。唇を動かさずに彼女は「あなたの言い分を言うチャンスはあるわ。最悪、ベニドルムに裁判で呼び戻されるでしょうから」

彼女は二人分の支払いを済ませ、わたしたちはフードコートに座った。わたしは調理済みサンドイッチの裏側のセロファンを剥がした。母はテーブル越しに手を伸ばしてきて、わたしの手首をさすった。

「わたしは元気よ」とわたしは言った。お腹がごろごろ言っていた。サンドイッチの角のところを口に詰め込むと、マヨネーズが舌の上で冷たくなめらかだった。わたしは急にえずいて、サンドイッチを落としてしまった。噛み取った塊をペーパー・ナプキンの中に吐き出す。ローストチキンだ。わたしはセレンのあの様子を心の目からぬぐい去ることができなかった――シャワー・トレーの上で体を後ろに反り返させて、赤く、生々しく、開いて、足の間に赤ちゃん。クリームようになめらかな、セレンのミルク色の足爪。「でもお腹は空いてない」とわたしはサンドイッチとその容れ物を押しやりながら言った。「しっかり力をつけとかないと」と母は言った。「何日かしたらポンティプリッズでのあの面接があるんでしょ。あなたが経験したのはトラウマなんだから、まだ自分でも何を経験したか分かってないのよ」

いや、分かっていた。わたしは二度と、ネイル・サロンには近づきたくはないということは。

レイチェル・トレザイス「ハード・アズ・ネイルズ」解題

河野真太郎

レイチェル・トレザイス（Rachel Trezise）は一九七八年、南ウェールズ、ロンザ渓谷のクムパーク生まれ。家族はコーンウォール系である。大学在学中の二〇〇〇年に自伝的な小説『金魚鉢に閉じこめられて、逃げ出して（*In and Out of the Goldfish Bowl*）』でデビュー。失業してアルコール中毒となった坑夫の義父に性的虐待を受け、ドラッグにまみれた少女時代というショッキングな内容もさることながら、ここに訳出した作品にもいかんなく発揮されている、比喩の力とダークなユーモアの感覚が、デビュー作ではすでに完成されていた。デビュー二作目の短編集『新鮮な林檎（*Fresh Apples*）』（二〇〇五年）で第一回ディラン・トマス文学賞を受賞し、ウェールズ英語文学の若き旗手としての地位を早速に確実なものにした。その後、『ゆるいつながり（*Loose Connections*）』（二〇一〇年）、『一六の色調のクレイジー（Sixteen Shades of Crazy）』（二〇一〇年）、短編集『コズミック・ラテ（Cosmic Latte）』（二〇一三年）のほか、いくつかの戯曲、ロック音楽を題材としたノンフィクションなどを発表してきている。今回、本邦初の翻訳となる。

デビュー作以来、トレザイスが描くのは一九八〇年代以降のポスト産業的な南ウェールズの情景である。一九八〇年以降というのは、サッチャーによる炭鉱業と労働組合の破壊以降ということだ。トレザイスは、『わが谷は緑なりき』のような作品で理想化される緑なすウェールズでも炭鉱労働者階級のウェールズでもなく、そのどちらも失われて貧困が覆いつくした、現代のウェールズの現実を描く。その中でも、本作が収録された『コズミック・ラテ』は実は異色で、ニューヨークから北アイルランド、旧東ドイツなどなど、非常に国際色豊かな設定になっている（ちなみにタイトルの「コズミック・ラテ」は「ハード・アズ・ネイルズ」に登場する色の名前であるが、宇宙のすべての色の平均の色ということである。人種＝色の混淆の世界となっているこの短編集のコンセプトを見事に表している）。

だが、ここに訳出した「ハード・アズ・ネイルズ」はトレザイスが生まれた町にほど近いトニーパンディの、産業を失ってうらぶれた町が（半分は）舞台になっており、トレザイスの作風を煮詰めた作品となっている（ちなみに訳者は二〇一二年にトニーパンディを訪問し、本作に登場する〈ランプを掲げたレディ〉像を見た）。

本作は、二〇一三年に発表されたものながら、二〇一六年のＥＵ離脱国民投票の結果（通称ブレグジット）を、離脱という結果につながったその雰囲気を、見事に予言しているように思える。国民投票では、このトニーパンディのような、産業を失って貧困にあえぐイギリスの地域の労働者階級の間に生じた排外主義的な感情（移民労働者が職を奪っているという感情）が重要な役割を果たしたと言われる。この作品に刻印された、人種差別的・排外主義的な感情とグローバリゼーション（＝アメリカ）への反感を考えるとき、物語の後半がＥＵ地域（スペインのリゾート）で展開され、そこからの追放に近い帰国で終わっていることは非常に示唆的だろう。

ただ、そういった社会・歴史的なものに還元することでは、トレザイスの作品の魅力は表現できないことも確かだ。ダークな現実にウィットをもって対峙する姿勢、言語感覚をくすぐらないではおかない巧みな比喩、魅力的なキャラクター。これらの力をもって、彼女は「気分」としか言いようのないものを醸し出していく。そういった力をもって、彼女が次にどのような作品を生み出してくれるのか、楽しみでならない。

なお、タイトルについて一言。「ハード・アズ・ネイルズ」は登場するネイルサロンの名前だが、英語としては「釘のように硬い」という成句である（nailsには「爪」と「釘」の両方の意味がある）。この成句をネイルサロンの店名にするというのは、センスに欠けていてちょっとイタイ感じ、と理解していただければいいだろう。

おわりに

「はじめに」で述べた通り、文学の中心は「経験」です。その「経験」には二種類があると思います。ひとつは、読者にとっては縁遠く異質な、他者の経験であり、もうひとつはその逆で、読者に共有される、知られている経験です。

本書の編集方針は、「はじめに」で述べたようなウェールズの歴史とウェールズ文学の歴史をバランスよく過不足なく伝えることは最初から放棄し、個々の作品がそれ自体で独自に、ある種普遍的な「面白さ」を持っているものを選ぶ、というものでした。

その意味で、本書のために選んだ作品は、ウェールズという、多くの読者にとって縁遠い国の経験を描くものというよりは、「近代」と呼ぶしかない、私たちに共有された経験を描くものです。ですがやはり、その一方で、それぞれの作品には、ウェールズの、それぞれの時代における特殊な経験が見まごうことなく刻みこまれていることに、通読してくださった読者はお気づきでしょう。

そのような特殊な経験を理解し、作品を十全に楽しむためには、ある程度の補助線が必要になる部分があります。そこで本書では、各作品の訳者による解題を付しました。ぜひともそちらも読んで、一読では明らかにならなかったかもしれない、それぞれの作品の側面を発見していただきたいと思います。

また、ウェールズ英語文学を代表するけれども収録がかなわなかった作家が多く存在します。カラドック・エヴァンズ、ドロシー・エドワーズ、B・L・クームズ、ディラン・トマス、アラン・ルイス、エミール・ハンフリーズ、アラン・リチャーズ、レイモンド・ウィリアムズ……。もし「第二集」があるなら、紹介していきたいと思います。

本書は、レイチェル・トレザイスの「ハード・アズ・ネイルズ」を除いて、ダイ・スミス（Dai Smith）編の *Story: The Library of Wales Short Story Anthology, Volume I* (Parthian, 2014) から選びました。歴史家のダイ・スミス氏とは一〇年来の交流があり、本書の編纂や著作権処理などにあたって貴重な助力をくださりました。感謝したいと思います。また翻訳にあたっては、ウェールズのスウォンジー大学教授のダニエル・G・ウィリアムズ（Daniel G. Williams）氏、そして同大学にレイモンド・ウィリアムズとヨーロッパ思想との関係を主題とした博士論文を提出したばかりの研究者ダン・ガーク（Daniel Gerke）氏に、不明な点についての相談に乗っていただきました。記して感謝したいと思います。

本書は、ウェールズの、文学翻訳を促進する基金であるウェールズ・リテラチャー・エクスチェンジ（Wales Literature Exchange）からの翻訳助成を受けています。これについても記して感謝します。

新型コロナウイルス禍のただ中で

二〇二〇年七月

河野真太郎

●著者（アルファベット順）

ロン・ベリー
(Ron Berry、1920-1997)

英国、南ウェールズ出身の小説家。一四歳から父に倣って炭鉱で働いていたが、第二次世界大戦中には英国陸軍兵として従軍している。戦後は成人教育プログラムで学んだあと南ウェールズに戻り、仕事をしながら『狩る者と狩られるもの』をはじめとして計六つの中・長編小説を発表している。作家として生計を立てるには至らなかったが、死後は英語のウェールズ文学再版シリーズであるライブラリー・オブ・ウェールズの第一作目に選ばれるなど、とりわけ二〇〇〇年代以降には再評価が進み、現在では古典的作家と呼ばれるまでになっている。

リース・デイヴィス
(Rhys Davies, 1901-1978)

南ウェールズ、ロンザ渓谷の炭鉱町ブラインクラダハ生まれ。ウェールズの英語散文作家のなかでもっとも多作で成功した作家のひとりとされる。主にロンドンで活動し、一九二〇年代末にはD・H・ロレンス夫妻と親交をもつなど、イングランドのモダニズム作家との関わりがあるが、作品の多くは生まれ故郷のロンザ渓谷を舞台にしている。代表作に『枯れた根』（一九二七年）、『黒いヴィーナス』（一九四四年）、自伝『野ウサギの足跡』（一九六九年）、戯曲『逃げ道なし』（一九五四年）がある。一九六七年には「選ばれた者」によって、米国のエドガー賞（短篇部門賞）を受賞している。

マージアッド・エヴァンズ
(Margiad Evans, 1909-1958)

ロンドン郊外、アクスブリッジ生まれ。本名はペギー・アイリーン・ウィスラー（Peggy Eileen Whistler）。一〇代初めに家族とともに、ウェールズとイングランドの国境地帯、ヘレフォード州ブライドストウに移住する。フォークロア（民話）的要素とモダニズムの「意識の流れ」を取り入れた独特の文体によってウェールズの農村の人びとの日常を描く作風が、近年再評価されつつある。代表作に、長編小説『カントリー・ダンス』(*Country Dance*, 1932)、短編集『老いた者と若き者』(*The Old and the Young*, 1948)、『自伝』(*Autobiography*, 1943)などがある。

グウィン・トマス
(Gwyn Thomas, 1913-1981)

南ウェールズ、ロンザ渓谷の炭鉱町クンマー生まれ。炭鉱夫の家庭に十二番目の末っ子として生まれる。鉱夫奨学生として学んだのち、一九四〇年代には郷里にて中学教師を務める傍ら、小説を発表しはじめる。一人称の私小説から歴史小説、戯曲まで作風は多彩だが、どの作品にも人間愛に貫かれたブラック・ユーモアが溢れている。代表作に『暗い哲学者たち』、『すべてに裏切られ』、戯曲『キープ』、自伝『選ばれたいくつかの出口』がある。晩年にはテレビ番組で人気者となり、彼のユーモアたっぷりの雑談はウェールズの英語話者に愛された。

レイチェル・トレザイス
(Rachel Trezise, 1978-)

南ウェールズ、ロンザ渓谷のクムパルク生まれ。二〇〇〇年に自伝的な小説『金魚鉢に閉じこめられて、逃げ出して』でデビュー。産業を失い、貧困、暴力、ドラッグに悩む南ウェールズの実相を背景としつつ、巧みなレトリックと物語構成が光る、現代ウェールズを代表する作家の一人である。短編集『新鮮な林檎』で第一回ディラン・トマス国際文学賞を受賞、その後、『コズミック・ラテ』などの短編集のほか、戯曲やノンフィクションなど、幅広い執筆活動を行っている。新作の長編小説『むかしむかしロンザで』(仮題)が出版予定である。

●編者

河野真太郎（こうの・しんたろう）

専修大学教授。一九七四年山口県生まれ、一橋大学大学院商学研究科准教授を経て二〇一九年四月より現職。関心領域はイギリスの文化と社会。著書に『戦う姫、働く少女』（堀之内出版、二〇一七年）、『〈田舎と都会〉の系譜学』（ミネルヴァ書房、二〇一三年）、共著に『文化と社会を読む批評キーワード辞典』（研究社、二〇一三年）訳書にピーター・バーク『文化のハイブリディティ』（法政大学出版局、二〇一二年）など。

●訳者（五十音順）

川端康雄（かわばた・やすお）

日本女子大学文学部教授。一九五五年横浜市生まれ。専門は近現代イギリスの文化、文学。著書に『オーウェルのマザー・グース』（平凡社、一九九八年）、『ジョージ・ベストがいた』（平凡社、二〇一〇年）、『葉蘭をめぐる冒険』（みすず書房、二〇一三年）、『ウィリアム・モリスの遺したもの』（岩波書店、二〇一六年）、『ジョージ・オーウェル』（岩波書店、二〇二〇年）、訳書にオーウェル『動物農場』（岩波書店、二〇〇九年）など。

中井亜佐子（なかい・あさこ）

一橋大学教授。一九六六年島根県松江市生まれ、山口県宇部市にて生育。専門は近現代英文学、批評理論。著書に『他者の自伝――ポストコロニアル文学を読む』（研究社、二〇〇七年）、『〈わたしたち〉の到来――英語圏モダニズムにおける歴史叙述とマニフェスト』（月曜社、二〇二〇年）など、翻訳にウェンディ・ブラウン『いかにして民主主義は失われていくのか――新自由主義の見えざる攻撃』（みすず書房、二〇一七年）など。

西 亮太
（にし・りょうた）

中央大学准教授。一九八〇年東京都小平市生まれ。関心領域はポストコロニアル批評、労働と文化、炭坑の精神。共著に『〈終わり〉への遡行――ポストコロニアリズムの歴史と使命』（英宝社、二〇一二年）、訳書にピーター・バリー『文学理論講義――新しいスタンダード』（共訳、ミネルヴァ書房、二〇一四年）、トニー・ジャット『真実が揺らぐ時――ベルリンの壁崩壊から9.11まで』（共訳、慶應義塾大学出版会、二〇一九年）など。

山田雄三
（やまだ・ゆうぞう）

大阪大学文学研究科教授。一九六八年、熊本県宇城市生まれ。専門は英国初期近代演劇、および近現代文化理論。主著に『感情のカルチュラル・スタディーズ』（開文社出版、二〇〇五年）、『ニューレフトと呼ばれたモダニストたち』（松柏社、二〇一三年）、訳書に、ロバート・アッカーマン『評伝 J・G・フレイザー――その生涯と業績』（共訳、法藏館、二〇〇九年）、レイモンド・ウィリアムズ『想像力の時制――文化研究Ⅱ』（共訳、みすず書房、二〇一六年）など。

暗い世界
ウェールズ文学短編集

2020年7月25日　初版第1刷発行

編者　河野真太郎
訳者　川端康雄／中井亜佐子／西 亮太／山田雄三／河野真太郎

発行所　堀之内出版
〒192-0355
東京都八王子市堀之内3丁目10-12 フォーリア23 206
TEL: 042-682-4350 ／ FAX: 03-6856-3497
http://www.horinouchi-shuppan.com/
装丁　平山みな美＋山田和寛（nipponia）
装画　安藤巨樹
組版　トム・プライズ
印刷　株式会社シナノパブリッシングプレス

ISBN 978-4-909237-53-8　©2020 Printed in Japan
Shintaro Kono, ed., *The Dark World: Welsh Short Stories.*
Horinouchi Publishing, 2020.

落丁・乱丁の際はお取り換えいたします。なお、本書は古紙パルプを70％以上配合したOKプリンス上質エコグリーンを本文紙に使用しています。そのため、紙に黒い点やチリが見えることがあります。紙の性質に由来するお取り換えはいたしかねます。

本書の無断複製は法律上の例外を除き禁じられています。